세종 한국어

익힘책

2B

문화체육관광부
국립국어원

최근 전 세계인이 접하는 한류 콘텐츠의 규모가 늘어나면서 한류 문화가 확산되고 있고, 그 결과로 한국어를 배우고자 하는 외국인 학습자의 기세가 매우 놀랍습니다. 세계 곳곳이 코로나19로 침체기를 겪던 2021년에도 한국어능력시험 응시자는 30만 명을 훌쩍 넘었으며, 문화체육관광부의 세종학당은 2007년 13곳에서 2022년에는 84개국 244개소로 증가하였습니다. 이러한 한류의 지속적인 확산을 뒷받침하기 위해서는 한국어교육의 탄탄한 지원이 필요합니다.

한류 콘텐츠와 함께 성장하는 한국어교육의 토대를 다지기 위해, 문화체육관광부와 국립국어원은 2011년 처음 발간된 《세종한국어》를 새로 다듬기로 하였습니다. 2019년부터 기초 연구를 시작한 교재 개정 작업은 3년의 시간을 들여, 2022년 드디어 새로운 《세종한국어》를 펴내게 되었고, 이를 세종학당재단과 함께 알리게 되었습니다.

새롭게 개정된 《세종한국어》는 첫째, 세종학당 곳곳에서 한국어를 배우고자 하는 열의로 가득 찬 외국인 학습자 중심의 교재를 지향하였습니다. 둘째, 현지 세종학당의 학습 환경에 따라 유연하게 활용할 수 있는 맞춤형 교재로 정비되었습니다. 셋째, 한류 콘텐츠에 대한 외국인들의 관심을 내용에 반영함으로써, 한국어 공부에 대한 학습자의 부담을 낮췄습니다. 마지막으로 세종학당을 대표하는 표준 교재로서 구심점 역할을 담당하고, 이후의 한국어 학습을 위한 연계성도 잘 갖추었습니다.

세종학당은 한국어와 한국 문화로 한국과 세계를 연결하는 대한민국 대표의 국외 한국어교육 기관입니다. 국립국어원과 문화체육관광부는 앞으로도 세종학당재단과 협력하여 전 세계에서 한국어를 사랑하는 이들이 꿈을 이룰 수 있도록 지속적인 노력과 지원을 아끼지 않겠습니다.

끝으로 교재 개발을 위해 최선의 노력을 기울여 주신 연구·집필진과 출판사 관계자분들께 진심으로 감사의 말씀을 드립니다. 《세종한국어》의 새로운 출발과 함께 문화체육관광부와 국립국어원, 세종학당재단이 세계로 더 나아갈 수 있도록 여러분의 따뜻한 관심 부탁드립니다.

2022년 8월
국립국어원장 장소원

머리말

세종학당은 한국과 전 세계를 연결하는 한국어·한국 문화 보급 기관입니다. 이번에 개발한 교재는 상호 문화주의에 기반하여 한국어 학습에 대한 학습자의 흥미를 증진함으로써 한국어 의사소통 능력을 향상시키는 것을 목표로 하였습니다. 이를 위해 최근 한국의 상황을 적극적으로 반영하였고 최신 교수법을 구현할 수 있는 새로운 구성과 디자인을 적용하였습니다. 이를 통해 국외 한국어교육의 방향성을 새롭게 제시하고자 하였습니다. 개정《세종한국어》의 구체적 특징은 다음과 같습니다.

첫째, 세종학당의 표준 교육과정인 가형, 나형, 다형 전 과정에 탄력적으로 활용할 수 있도록 '기본 교재'와 '더하기 활동 교재'로 구분하였습니다. '기본 교재'에는 해당 등급에 필요한 핵심적인 내용을 담았으며, '더하기 활동 교재'에는 심화·확장이 필요한 언어 지식과 의사소통 활동을 담았습니다. 이를 통해 다양한 학습자 특성에 맞게 교재를 선택하여 사용할 수 있도록 하였습니다.

둘째, 효과적 교수·학습을 위해 단계별로 단원 구성을 차별화하였으며 학습 내용 또한 언어 발달 단계에 맞는 교수 학습 내용과 절차를 적용하였습니다. 특히 다양한 삽화와 시각적 자료를 적극적으로 제시하여 한국어 학습의 흥미를 극대화할 수 있도록 노력하였습니다.

셋째, 교재 전반에 생생한 한국 문화 내용을 배치하여 학습자들이 상호 문화적 관점에서 한국 문화를 이해하고, 궁극적으로는 자국의 문화와 한국 문화에 대한 바른 태도를 형성할 수 있도록 하였습니다.

넷째, 교재와 함께 '익힘책', '교사용 지도서', '어휘·표현과 문법', 수업용 PPT와 같은 보조 자료들을 개발하여 교사·학습자의 요구에 맞게 교재를 활용할 수 있도록 하였습니다.

이 교재를 기획하고 개발하는 모든 과정에 함께해 주신 국립국어원과 현지 학당과의 협조와 지원을 아끼지 않으신 세종학당재단, 그리고 학습자들이 재미있게 한국어를 배울 수 있도록 멋지게 디자인해 주신 공앤박출판사에 감사의 마음을 전하고 싶습니다. 끝으로 3년이라는 긴 시간 동안 오로지 한국어교육에 대한 열정으로 좋은 교재를 만들어 내기 위해 애써 주신 모든 집필진께 말로는 다할 수 없는 깊은 감사의 마음을 전합니다.

2022년 8월
저자 대표 이정희

차례

차례

1. 그림을 보고 알맞은 표현을 찾아 연결해 보세요.

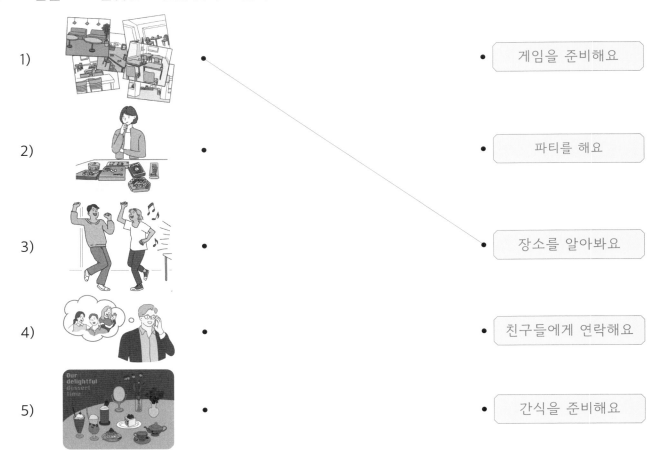

1) • • 게임을 준비해요

2) • • 파티를 해요

3) • • 장소를 알아봐요

4) • • 친구들에게 연락해요

5) • • 간식을 준비해요

---

2. 알맞은 것을 골라 대화를 완성해 보세요.

> 모임을 하다 　　　　　 인기 있는 음악을 찾아보다
>
> 장소를 결정하다 　　　　　 친구들의 취향을 물어보다

1) 가 : 어떤 음식을 준비하면 친구들이 좋아할까요?

　　나 : 글쎄요. ＿＿＿＿＿＿＿＿＿＿＿＿＿＿＿ (-는 것이) 좋을 것 같아요.

2) 가 : 언제 동아리 ＿＿＿＿＿＿＿＿＿＿＿＿＿ (-(으)면) 좋을까요?

　　나 : 금요일 어때요?

3) 가 : 파티에 음악이 필요할 것 같은데 음악 준비했어요?

　　나 : 지금 ＿＿＿＿＿＿＿＿＿＿＿＿＿＿＿. (-고 있어요)

4) 가 : 이번 파티는 어디에서 해요? ＿＿＿＿＿＿＿＿＿? (-았어요 / 었어요)

　　나 : 아니요. 지금 장소를 알아보고 있어요.

– (으) ㄹ래요?

1. 빈칸을 채워 보세요.

동사	-을래요?	동사	-ㄹ래요?
먹다	먹을래요?	가다	갈래요?
앉다		오다	
읽다		마시다	
찍다		운동하다	
★듣다	들을래요?	★만들다	만들래요?

'★(별표)'는 불규칙활용을 하는 단어입니다.

2. 알맞은 것을 골라 대화를 완성해 보세요.

쇼핑하다   수영하다   ⟨읽어 보다⟩   가다   먹다   보다   들어 보다

가 : 이 책이 재미있는데
한번 읽어 볼래요?

나 : 네. 읽어 볼래요.

1) 가 : 오늘 백화점에서 같이 _____ ?
   나 : 네. 좋아요.

2) 가 : 내일 도서관에 가려고 하는데 안나 씨도 같이 _____ ?
   나 : 미안해요. 저는 다른 약속이 있어요.

3) 가 : 이 가수의 노래가 좋은데 _____ ?
   나 : 네. 저도 _____ .

4) 가 : 안나 씨, 뭐 _____ ?
   나 : 저는 비빔밥 _____ .

5) 가 : 주말에 같이 영화 _____ ?
   나 : 네. 좋아요. 같이 봐요.

6) 가 : 휴일에 _____ ?
   나 : 미안해요. 저도 수영을 좋아하지만 약속이 있어요.

1. 빈칸을 채워 보세요.

동사	-을게요	동사	-ㄹ게요
먹다	먹을게요	가다	갈게요
읽다		보다	
찍다		마시다	
찾다		공부하다	
★듣다	들을게요	★만들다	만들게요

2. 다음과 같이 대화를 완성해 보세요.

1) 가 : 가방이 무거운데 누가 저 좀 도와줄 수 있어요?

　　나 : 제가 도와줄게요 　　　　　　　　　　　　　　　.

2) 가 : 고향에 도착하면 연락하세요.

　　나 : 네. 　　　　　　　　　　　　　　　　　.

3) 가 : 마리 씨, 모임 장소를 예약할 수 있어요?

　　나 : 네. 제가 장소를 　　　　　　　　　　　　　　.

4) 가 : 다음 주에 시험이 있으니까 열심히 공부하세요.

　　나 : 네. 열심히 　　　　　　　　　　　　　　　.

5) 가 : 누가 내일 파티에서 친구들 사진 좀 찍을래요?

　　나 : 네. 제가 사진을 　　　　　　　　　　　　　.

6) 가 : 내일 학교에 일찍 오세요.

　　나 : 네. 일찍 　　　　　　　　　　　　　　　.

7) 가 : 누가 케이크를 만들 거예요?

　　나 : 제가 　　　　　　　　　　　　　　　.

파티 준비

1. 다음을 잘 듣고 질문에 답하세요.

🔊
01

   1) 두 사람은 무슨 파티를 하려고 해요?

      ① 결혼 파티   ② 생일 파티

      ③ 졸업 파티   ④ 크리스마스 파티

   2) 들은 내용과 같으면 ○, 다르면 × 표시를 해 보세요.

      ① 일요일에 파티를 할 거예요.   (   )

      ② 유진 씨는 게임을 준비할 거예요.   (   )

      ③ 안나 씨는 친구들에게 연락을 할 거예요. (   )

   3) 다시 들으면서 빈칸에 알맞은 말을 써 보세요.

     유진 : 안나 씨, 이번 주에 주노 씨 ① _____.

          그래서 ② _____ 파티를 하려고 해요. 안나 씨도 올래요?

     안나 : 네. 그럼요. 우리 같이 준비해요. 유진 씨, 어디에서 파티를 할까요?

     유진 : 세종 카페 어때요? 모임 할 때 가 봤는데 넓고 좋았어요.

     안나 : 좋아요. 제가 한번 ③ _____. 음악이나 게임은요?

     유진 : ④ _____. 집에 좀 있어요.

     안나 : 알겠어요. 그럼 제가 ⑤ _____.

   4) 다시 들으면서 답을 확인해 보세요. 그리고 따라 해 보세요.

---

2. 다음을 잘 듣고 받침 'ㄷ, ㅌ, ㅅ, ㅆ, ㅈ, ㅊ, ㅎ'이 'ㄴ' 앞에서 [ㄴ]으로 발음되는 곳을 찾아 ○ 표시를 해 보세요. 그리고 따라 해 보세요.

🔊
02

   1) 모임 할 때 가 봤는데 넓고 좋았어요.

   2) 시험도 끝났으니까 우리 만날래요?

   3) 지금 문을 닫는 사람이 누구예요?

   4) 한국에서 불고기를 먹었는데 정말 맛있었어요.

모임 준비

1. 다음을 잘 읽고 질문에 답하세요.

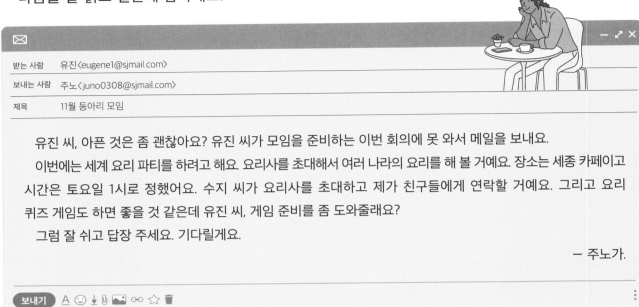

받는 사람	유진〈eugene1@sjmail.com〉
보내는 사람	주노〈juno0308@sjmail.com〉
제목	11월 동아리 모임

유진 씨, 아픈 것은 좀 괜찮아요? 유진 씨가 모임을 준비하는 이번 회의에 못 와서 메일을 보내요.

이번에는 세계 요리 파티를 하려고 해요. 요리사를 초대해서 여러 나라의 요리를 해 볼 거예요. 장소는 세종 카페이고 시간은 토요일 1시로 정했어요. 수지 씨가 요리사를 초대하고 제가 친구들에게 연락할 거예요. 그리고 요리 퀴즈 게임도 하면 좋을 것 같은데 유진 씨, 게임 준비를 좀 도와줄래요?

그럼 잘 쉬고 답장 주세요. 기다릴게요.

― 주노가.

보내기

1) 유진 씨는 왜 동아리 회의에 못 갔어요?

① 일이 바빠서 ② 몸이 아파서
③ 숙제가 많아서 ④ 다른 회의가 있어서

2) 이번 동아리 모임에서 뭘 하려고 해요?

① 좋아하는 음식을 소개하려고 해요.
② 여러 나라의 요리를 해 보려고 해요.
③ 유명한 요리사들의 책을 읽으려고 해요.
④ 유명한 식당에 가서 밥을 먹으려고 해요.

3) 읽은 내용과 같으면 ○, 다르면 × 표시를 해 보세요.

① 주말에 동아리 모임을 하려고 해요.　　（　　　）
② 주노 씨가 요리사를 초대할 거예요.　　（　　　）

모임에 초대하는 글쓰기

1. 알맞은 표현을 찾아 문장을 완성해 보세요.

간식을 준비하다	모임을 하다	친구를 초대하다	게임을 준비하다

1) 이번 주 토요일에 동아리 _____. (기로 했어요)

2) 모임에 세종학당 _____. (-(으)ㄹ 거예요)

3) 친구들과 함께 먹으려고 맛있는 _____. (-았어요 / 었어요)

4) 친구들과 놀려고 재미있는 퀴즈 _____. (-았어요 / 었어요)

---

2. 다음 글을 읽고 빈칸에 알맞은 말을 넣어 다시 써 보세요.

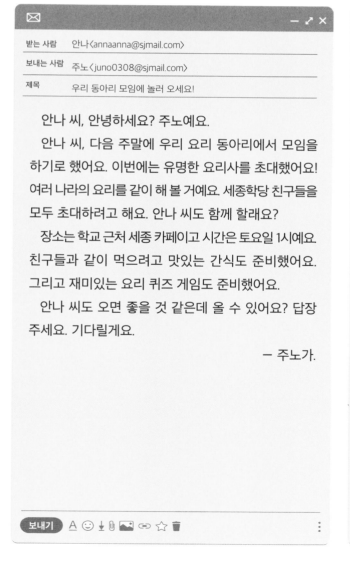

받는 사람 안나〈annaanna@sjmail.com〉
보내는 사람 주노〈juno0308@sjmail.com〉
제목 우리 동아리 모임에 놀러 오세요!

안나 씨, 안녕하세요? 주노예요.

안나 씨, 다음 주말에 우리 요리 동아리에서 모임을 하기로 했어요. 이번에는 유명한 요리사를 초대했어요! 여러 나라의 요리를 같이 해 볼 거예요. 세종학당 친구들을 모두 초대하려고 해요. 안나 씨도 함께 할래요?

장소는 학교 근처 세종 카페이고 시간은 토요일 1시예요. 친구들과 같이 먹으려고 맛있는 간식도 준비했어요. 그리고 재미있는 요리 퀴즈 게임도 준비했어요.

안나 씨도 오면 좋을 것 같은데 올 수 있어요? 답장 주세요. 기다릴게요.

— 주노가.

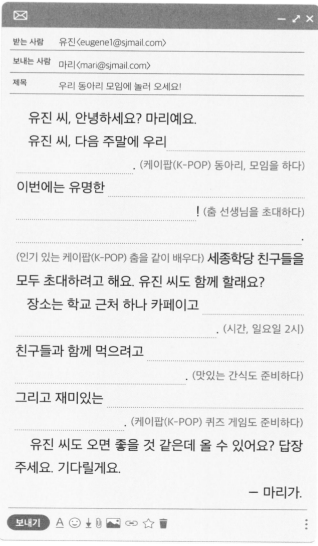

받는 사람 유진〈eugene1@sjmail.com〉
보내는 사람 마리〈mari@sjmail.com〉
제목 우리 동아리 모임에 놀러 오세요!

유진 씨, 안녕하세요? 마리예요.

유진 씨, 다음 주말에 우리 _____. (케이팝(K-POP) 동아리, 모임을 하다)

이번에는 유명한 _____! (춤 선생님을 초대하다)

_____. (인기 있는 케이팝(K-POP) 춤을 같이 배우다) 세종학당 친구들을 모두 초대하려고 해요. 유진 씨도 함께 할래요?

장소는 학교 근처 하나 카페이고 _____. (시간, 일요일 2시)

친구들과 함께 먹으려고 _____. (맛있는 간식도 준비하다)

그리고 재미있는 _____. (케이팝(K-POP) 퀴즈 게임도 준비하다)

유진 씨도 오면 좋을 것 같은데 올 수 있어요? 답장 주세요. 기다릴게요.

— 마리가.

1. 잘 듣고 다음과 같이 써 보세요. 그리고 알맞은 그림을 찾아 연결해 보세요.

1) 사거리가 있어요. •

2) ⋯⋯⋯⋯⋯⋯⋯⋯⋯ •

3) ⋯⋯⋯⋯⋯⋯⋯⋯⋯ •

4) ⋯⋯⋯⋯⋯⋯⋯⋯⋯ •

5) ⋯⋯⋯⋯⋯⋯⋯⋯⋯ •

2. 다음과 같이 대화를 완성해 보세요.

| 앞으로 쭉 가다 | 왼쪽으로 돌아가다 | 걸어오다 | 오른쪽으로 돌아가다 |

1)  가 : 학교에 어떻게 와요?

나 : ⋯⋯⋯⋯⋯⋯⋯⋯⋯⋯⋯⋯⋯⋯⋯⋯ . (-아요 / 어요)

2) 가 : 은행이 어디에 있어요?

나 : ⋯⋯⋯⋯⋯⋯⋯⋯⋯⋯⋯⋯⋯⋯⋯⋯ . (-(으)세요)

3) 가 : 도서관이 어디에 있어요?

나 : 사거리에서 ⋯⋯⋯⋯⋯⋯⋯⋯⋯ . (-(으)면) 도서관이 나와요.

4) 가 : 공원이 어디에 있어요?

나 : 사거리에서 ⋯⋯⋯⋯⋯⋯⋯⋯⋯ . (-(으)세요)

에서부터

1. 다음과 같이 문장을 완성해 보세요.

1) 집 → 도서관 → 집에서부터 도서관까지 .... 자전거를 타고 가요.

2) 회사 → 집 → .... 버스를 타고 가요.

3) 학교 → 공항 → .... 택시를 타고 가요.

4) 수영장 → 영화관 → .... 지하철을 타고 가요.

5) 집 → 학교 → .... 걸어가요.

2. 다음과 같이 문장을 완성해 보세요.

1) 베이징, 한국 2시간 → 베이징에서부터 한국까지 비행기로 2시간쯤 걸려요 ....

2) 뉴욕, 한국 14시간 → ....

3) 방콕, 한국 6시간 → ....

4) 도쿄, 한국 2시간 30분 → ....

5) 파리, 한국 13시간 → ....

1. 빈칸을 채워 보세요.

동사	-을	동사	-ㄹ
먹다	먹을	가다	갈
앉다		보다	
읽다		마시다	
입다		공부하다	
★듣다	들을	★만들다	만들

2. 다음과 같이 대화를 완성해 보세요.

> 가 : 이 옷은 뭐예요?
>
> 나 : 내일 입을 옷(이에요)/
> 예요. 발표가 있어서요.
>
> (입다, 옷)

1) 가 : 이 꽃은 뭐예요?

    나 : 친구에게 ＿＿＿＿＿＿＿＿ 이에요 / 예요. (주다, 선물)

2) 가 : 이 책은 뭐예요?

    나 : 아, 내일 ＿＿＿＿＿＿＿＿ 이에요 / 예요. (공부하다, 책)

3) 가 : 내일 ＿＿＿＿＿＿＿＿ 이 / 가 뭐예요? (만들다, 음식)

    나 : 비빔밥하고 불고기를 만들 거예요.

4) 가 : 이번 주말에 ＿＿＿＿＿＿＿＿ 을 / 를 샀어요? (보다, 영화표)

    나 : 네. 주말에는 사람이 많을 것 같아서 오늘 샀어요.

5) 가 : 뭘 찾고 있어요?

    나 : 다음 주 모임에서 친구들과 ＿＿＿＿＿＿＿＿ 을 / 를

    찾고 있어요. (듣다, 음악)

모임 장소에 가는 방법

1. 다음을 잘 듣고 질문에 답하세요.

1) 두 사람은 어떤 모임에 가려고 해요?

① 반 모임 ② 가족 모임
③ 공부 모임 ④ 동아리 모임

2) 들은 내용과 같으면 ○, 다르면 × 표시를 해 보세요.

① 마리 씨는 주말에 모임에 가려고 해요. ( )
② 세종학당에서 모임 장소까지 지하철을 타고 가요. ( )
③ 안나 씨는 혼자 모임에 가려고 해요. ( )

3) 다시 들으면서 빈칸에 알맞은 말을 써 보세요.

안나 : 마리 씨, ① _____ 모임에 갈 거죠?

마리 : 네. 세종 카페에서 하죠? 그런데 카페까지 어떻게 가요?

안나 : ② _____. 15분쯤 걸려요. 영화관 앞에서

내려서 100m쯤 ③ _____ 오른쪽에 세종 카페가 있어요.

마리 : 그래요? 아, 처음 가 봐서 좀 걱정이에요. ④ _____ 있으면

좋을 것 같은데 다 바쁠 것 같아요.

안나 : 그럼 세종학당에서 1시 반쯤에 ⑤ _____.

마리 : 정말요? 고마워요. 안나 씨.

4) 다시 들으면서 답을 확인해 보세요. 그리고 따라 해 보세요.

2. 다음을 잘 듣고 받침 'ㄷ, ㅌ' 이 '이'나 '히'를 만나 [ㅈ], [ㅊ]으로 발음되는 곳을 찾아 ○ 표시를 해 보세요. 그리고 따라 해 보세요.

1) 친구하고 학교에 같이 가요. 2) 일이 끝이 없어요.

3) 같이 밥 먹을래요? 4) 수업이 끝이 나면 전화하세요.

1. 다음을 잘 읽고 질문에 답하세요.

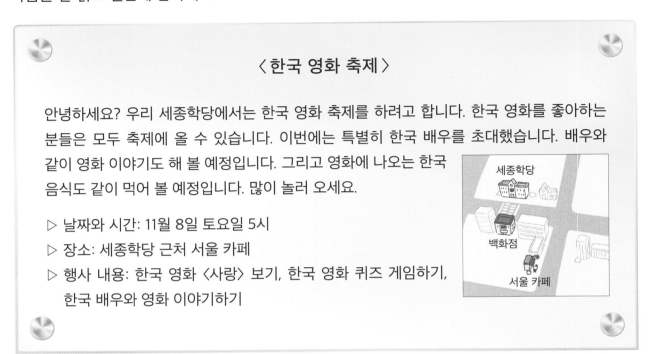

〈 한국 영화 축제 〉

안녕하세요? 우리 세종학당에서는 한국 영화 축제를 하려고 합니다. 한국 영화를 좋아하는 분들은 모두 축제에 올 수 있습니다. 이번에는 특별히 한국 배우를 초대했습니다. 배우와 같이 영화 이야기도 해 볼 예정입니다. 그리고 영화에 나오는 한국 음식도 같이 먹어 볼 예정입니다. 많이 놀러 오세요.

▷ 날짜와 시간: 11월 8일 토요일 5시
▷ 장소: 세종학당 근처 서울 카페
▷ 행사 내용: 한국 영화 〈사랑〉 보기, 한국 영화 퀴즈 게임하기,
　한국 배우와 영화 이야기하기

1) 이 축제에서 할 수 없는 것은 뭐예요?

① 한국 영화를 볼 수 있어요.
② 한국 영화를 만들 수 있어요.
③ 한국 음식을 먹어 볼 수 있어요.
④ 한국 영화 퀴즈 게임을 할 수 있어요.

2) 서울 카페에 어떻게 가요? 다음 문장을 읽고 순서대로 번호를 써 보세요.

(②) → (　) → (　) → (　) → (　)

① 그럼 백화점이 나와요.
② 먼저 세종학당 정문으로 가요.
③ 그럼 서울 카페가 나와요.
④ 거기에서 왼쪽으로 돌아가요.
⑤ 거기에서 횡단보도를 건너요.

3) 읽은 내용과 같으면 ○, 다르면 × 표시를 해 보세요.

① 축제는 금요일에 할 거예요. 　　　　　(　)
② 축제에 가면 한국 배우를 만날 수 있어요. 　(　)

약속 장소에 오는 방법을 안내하는 글쓰기 _{쓰기}

1. 알맞은 표현을 찾아 문장을 완성해 보세요.

오른쪽으로 돌아가다	내리다	사거리가 있다	횡단보도를 건너다

1) 공원 앞 정류장에서 _____. (-(으)세요)

2) 정류장에서 왼쪽으로 좀 가면 _____. (-아요 / 어요)

3) 사거리에서 _____. (-(으)세요)

4) 사거리에서 돌아가서 _____. (-(으)세요)

---

2. 다음 글을 읽고 빈칸에 알맞은 말을 넣어 다시 써 보세요.

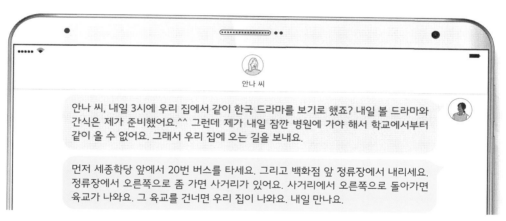

안나 씨

안나 씨, 내일 3시에 우리 집에서 같이 한국 드라마를 보기로 했죠? 내일 볼 드라마와 간식은 제가 준비했어요.^^ 그런데 제가 내일 잠깐 병원에 가야 해서 학교에서부터 같이 올 수 없어요. 그래서 우리 집에 오는 길을 보내요.

먼저 세종학당 앞에서 20번 버스를 타세요. 그리고 백화점 앞 정류장에서 내리세요. 정류장에서 오른쪽으로 좀 가면 사거리가 있어요. 사거리에서 오른쪽으로 돌아가면 육교가 나와요. 그 육교를 건너면 우리 집이 나와요. 내일 만나요.

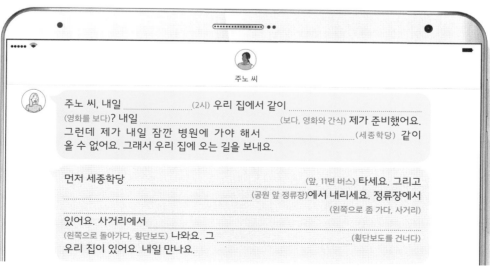

주노 씨

주노 씨, 내일 _____(2시) 우리 집에서 같이
(영화를 보다)? 내일 _____(보다, 영화와 간식) 제가 준비했어요.
그런데 제가 내일 잠깐 병원에 가야 해서 _____(세종학당) 같이
올 수 없어요. 그래서 우리 집에 오는 길을 보내요.

먼저 세종학당 _____(앞, 11번 버스) 타세요. 그리고
_____(공원 앞 정류장)에서 내리세요. 정류장에서
_____(왼쪽으로 좀 가다, 사거리)
있어요. 사거리에서 _____
(왼쪽으로 돌아가다, 횡단보도) 나와요. 그 _____(횡단보도를 건너다)
우리 집이 있어요. 내일 만나요.

선물

1. 그림을 보고 물건의 이름을 써 보세요.

지갑

1)

2)

3)

4)

---

2. 알맞은 것을 골라 대화를 완성해 보세요.

| 포장을 풀다 | 선물하다 | 선물 받다 | 선물을 고르다 |

1) 가 : 와, 이 넥타이 새로 샀어요?

　 나 : 아니요. 생일에 _____ . (-았어요 / 었어요)

2) 가 : 이게 뭘까요?

　 나 : 글쎄요. _____ . (-아 / 어 보세요)

3) 가 : 안나 씨, 뭘 보고 있어요?

　 나 : 마리 씨에게 줄 _____ . (-고 있어요)

4) 가 : 이 케이크는 주노 씨가 만든 거예요?

　 나 : 네. 친구한테 _____ . (-(으)려고요)

1. 빈칸을 채워 보세요.

동사 / 형용사	-으세요	동사 / 형용사	-세요
읽다	읽으세요	가다	가세요
입다		보다	
많다		좋아하다	
재미있다		바쁘다	
★듣다	들으세요	친절하다	

2. 다음과 같이 문장을 바꿔 써 보세요.

친구가 회사에 가요.

아버지께서 회사에 가세요.

(아버지)

1) 형이 영어를 가르쳐요.

→ _____. (어머니)

2) 누나가 운동을 좋아해요.

→ _____. (할머니)

3) 동생이 책을 읽어요.

→ _____. (할아버지)

4) 저는 친구가 많아요.

→ _____. (아버지)

5) 친구가 밥을 먹어요.

→ _____. (어머니)

6) 동생이 집에서 자고 있어요.

→ _____

_____. (할아버지)

에게만, 에게도

1. 다음과 같이 맞는 것에 ○ 표시를 해 보세요.

1) 안나 씨의 할머니가 안나 씨에게 목걸이를 주셨어요. 안나 씨 동생(에게만 /⟨에게도⟩) 목걸이를 주셨어요.

2) 주노 씨가 안나 씨(에게만 / 에게도) 지갑을 선물했어요. 마리 씨에게는 선물을 하지 않았어요.

3) 유진 씨가 재민 씨에게 향수를 줬어요. 주노 씨(에게만 / 에게도) 향수를 줬어요.

4) 마리 씨가 수지 씨(에게만 / 에게도) 꽃을 선물했어요. 저는 안 줬어요.

5) 저는 남자 친구에게 넥타이를 선물했어요. 그리고 오빠(에게만 / 에게도) 넥타이를 선물했어요.

2. 다음을 보고 '에게만, 에게도'를 사용하여 써 보세요.

친구	친구에게 필요한 것	
안나	향수, 목걸이	
주노	넥타이	
마리	편지, 지갑	
유진	향수, 노트북	
수지	목걸이, 지갑	

1) 안나 씨가 향수를 좋아해서 향수를 주면 좋을 것 같아요.

　유진 씨에게도 　　　　　 향수를 주면 좋을 것 같아요.

2) 주노 씨만 넥타이가 필요해서 ＿＿＿＿＿＿＿＿＿ 넥타이를 주면 좋을 것 같아요.

3) 안나 씨가 목걸이를 좋아해서 목걸이를 주면 좋을 것 같아요.

　　　　　　　　　　　　 목걸이를 주면 좋을 것 같아요.
＿＿＿＿＿＿＿＿＿

4) 마리 씨만 편지를 좋아해요. ＿＿＿＿＿＿＿＿＿ 편지를 주면 좋을 것 같아요.

5) 수지 씨에게 지갑을 주면 좋아할 것 같아요. ＿＿＿＿＿＿＿＿＿ 지갑을 주면 좋을 것 같아요.

선물 사기

1. 다음을 잘 듣고 질문에 답하세요.

01

1) 주노 씨는 안나 씨에게 왜 선물을 주려고 해요?

① 안나 씨를 좋아해서
② 안나 씨 생일이어서
③ 안나 씨가 일을 도와줘서
④ 안나 씨에게 선물을 받아서

2) 들은 내용과 같으면 ○, 다르면 × 표시를 해 보세요.

① 안나 씨는 향수를 좋아해요.　　　　　　　(　)
② 마리 씨는 주노 씨에게 선물을 한 적이 없어요.　(　)
③ 주노 씨는 마리 씨에게 줄 선물을 찾고 있어요.　(　)

3) 다시 들으면서 빈칸에 알맞은 말을 써 보세요.

주노 : 마리 씨, 안나 씨는 뭘 좋아해요?

마리 : 음. 안나 씨는 ① _____ 좋아해요. 그런데 왜요?

주노 : 아, 작년 크리스마스에 안나 씨가 ② _____.

　　　그래서 저도 ③ _____.

마리 : 아, 그래요? 그런데 주노 씨, 저도 ④ _____

　　　선물 주는 거예요?

주노 : 하하. ⑤ _____ 선물을 샀어요. 크리스마스에 줄게요.

4) 다시 들으면서 답을 확인해 보세요. 그리고 따라 해 보세요.

---

2. 다음을 잘 듣고 받침 'ㄱ, ㄲ, ㅋ' 뒤에 연결되는 'ㄱ'이 [ㄲ]으로 발음되는 곳을 찾아 ○ 표시를 해 보세요. 그리고 따라 해 보세요.

02

1) 목걸이를 좋아해요.
2) 주말에 축구를 해요.
3) 사진을 찍고 싶어요.
4) 점심을 먹고 숙제해요.

1. 다음을 잘 읽고 질문에 답하세요.

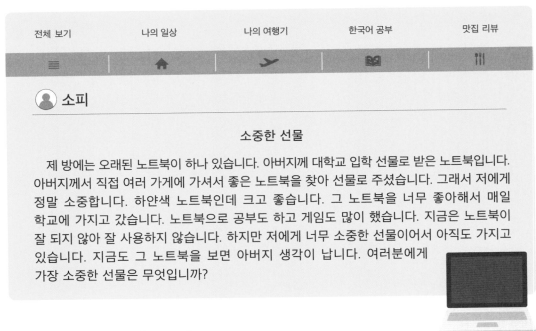

<table>
<tr><td>전체 보기</td><td>나의 일상</td><td>나의 여행기</td><td>한국어 공부</td><td>맛집 리뷰</td></tr>
</table>

👤 소피

소중한 선물

제 방에는 오래된 노트북이 하나 있습니다. 아버지께 대학교 입학 선물로 받은 노트북입니다. 아버지께서 직접 여러 가게에 가셔서 좋은 노트북을 찾아 선물로 주셨습니다. 그래서 저에게 정말 소중합니다. 하얀색 노트북인데 크고 좋습니다. 그 노트북을 너무 좋아해서 매일 학교에 가지고 갔습니다. 노트북으로 공부도 하고 게임도 많이 했습니다. 지금은 노트북이 잘 되지 않아 잘 사용하지 않습니다. 하지만 저에게 너무 소중한 선물이어서 아직도 가지고 있습니다. 지금도 그 노트북을 보면 아버지 생각이 납니다. 여러분에게 가장 소중한 선물은 무엇입니까?

1) 왜 이 사람에게 노트북이 소중해요?

① 직접 산 노트북이어서
② 비싸고 좋은 노트북이어서
③ 지금은 살 수 없는 노트북이어서
④ 아버지가 선물로 주신 노트북이어서

2) 노트북에 대한 설명으로 맞는 것을 고르세요.

① 노트북은 까만색이에요.
② 대학교에 들어갈 때 받았어요.
③ 노트북으로 쇼핑을 자주 했어요.
④ 노트북이 작아서 사용하기 안 좋아요.

3) 읽은 내용과 같으면 ○, 다르면 × 표시를 해 보세요.

① 이 사람은 학교에 갈 때 노트북을 가지고 갔어요. (   )
② 이 사람은 노트북을 사용할 수 없어서 버렸어요. (   )

친구에게 주고 싶은 선물을 소개하는 글쓰기 쓰기

1. 알맞은 표현을 찾아 문장을 완성해 보세요.

소중하다	선물을 받다	선물을 꺼내다	선물을 주다

1) 내일은 저에게 ＿＿＿＿＿＿＿＿＿＿ (-(으)ㄴ) 친구의 생일이에요.

2) 친구의 생일이어서 ＿＿＿＿＿＿＿＿＿＿. (-(으)려고 해요)

3) 작년 생일에 저는 지갑 ＿＿＿＿＿＿＿＿＿＿. (-았어요 / 었어요)

4) 친구가 상자에서 ＿＿＿＿＿＿＿＿＿＿ (-아 / 어 보고) 마음에 들어 했으면 좋겠어요.

---

2. 다음 글을 읽고 빈칸에 알맞은 말을 넣어 다시 써 보세요.

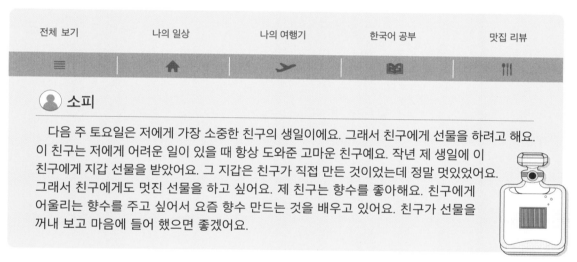

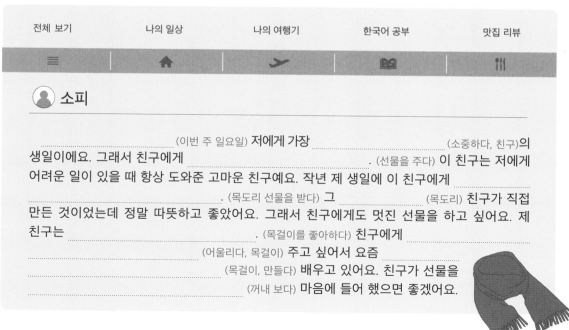

1. 잘 듣고 다음과 같이 써 보세요. 그리고 알맞은 그림을 찾아 연결해 보세요.

1) 기분이 좋아요.　•

2) ＿＿＿＿＿＿＿＿　•

3) ＿＿＿＿＿＿＿＿　•

4) ＿＿＿＿＿＿＿＿　•

5) ＿＿＿＿＿＿＿＿　•

2. 알맞은 것을 골라 문장을 완성해 보세요.

| 신나다 | 힘들다 | 지루하다 | 걱정이 많다 | 기분이 좋다 |

날씨가 좋아서
기분이 좋아요.

1) 영화가 재미없어요. ＿＿＿＿＿＿＿＿＿.

2) 오늘 회의가 많아서 ＿＿＿＿＿＿＿＿＿.

3) 동생이 아파서 병원에 있어요. ＿＿＿＿＿＿＿＿.

4) 친구와 한국에 여행을 가기로 했어요. ＿＿＿＿＿＿.

1. 다음과 같이 문장을 완성해 보세요.

1) 영화를 보다가 _____ 잠이 들었어요.

2) _____ 전화를 받았어요.

3) 아침에 _____ 지금은 비가 안 와요.

4) 집까지 _____ 다리가 아파서 버스를 탔어요.

5) _____ 그만두었어요.

---

2. 다음과 같이 대화를 완성해 보세요.

1) 음악을 듣다, 잠이 들다

가 : 언제 잠이 들었어요?

나 : 음악을 듣다가 잠이 들었어요 . (-았어요 / 었어요)

2) 앞으로 쭉 가다, 좌회전하다

가 : 세종학당까지 어떻게 가요?

나 : _____ . (-(으)세요)

3) 김밥을 만들다, 실패하다

가 : 김밥을 왜 안 먹어요?

나 : _____ . (-았어요 / 었어요)

4) 청소하다, 소파 아래에서 찾다

가 : 책을 어디에서 찾았어요?

나 : _____

_____ . (-았어요 / 었어요)

5) 사진을 찍다, 유진 씨를 만나다

가 : 어디에서 유진 씨를 만났어요?

나 : 공원에서 _____

_____ . (-았어요 / 었어요)

–아 / 어 주다

1. 빈칸을 채워 보세요.

동사	-아 주다	동사	-어 주다	동사	-해 주다
놀다	놀아 주다	열다	열어 주다	말하다	말해 주다
닫다		빌리다		예약하다	
사다		가르치다		전화하다	
만나다		*듣다	들어 주다	축하하다	
*돕다	도와 주다	*짓다	지어 주다	이야기하다	

2. 알맞은 것을 골라 대화를 완성해 보세요.

| 들다 | 켜다 | 만들다 | 말하다 | (빌려주다) | 전화하다 | 문을 닫다 |

1) 펜을 안 가져왔어요. 펜 좀 <u>빌려주세요</u>. (-(으)세요)

2) 교실이 추워요. _____. (-(으)세요)

3) 잘 못 들었어요. 죄송하지만 한 번 더 _____. (-(으)세요)

4) 주노 씨가 비빔밥을 _____. (-았어요 / 었어요) 정말 맛있었어요.

5) 짐이 많아서 힘든데 가방 좀 _____. (-(으)세요)

6) 더워요. 에어컨 좀 _____. (-(으)세요)

7) 지금 전화를 받을 수 없어요. 이따가 저한테 다시 _____. (-(으)세요)

기분 좋은 경험

02

1. 다음을 잘 듣고 질문에 답하세요.

1) 마리 씨는 왜 기분이 좋아요?

① 노래를 불러서   ② 친구를 만나서

③ 콘서트에 다녀와서   ④ 계속 일을 해서

2) 콘서트에서 무슨 일이 있었어요?

① 노래를 불렀어요.
② 가수와 이야기했어요.
③ 콘서트에서 친구를 만났어요.
④ 가수가 마리 씨가 좋아하는 노래를 불러 줬어요.

3) 다시 들으면서 빈칸에 알맞은 말을 써 보세요.

수지 : 마리 씨, 오늘 기분이 아주 ① _____. 무슨 일 있어요?

마리 : 네. 계속 ② _____ 어제 콘서트에 갔어요.

수지 : 와, 정말요? ③ _____ 콘서트에 갔어요?

마리 : 유나의 콘서트였어요. 제가 좋아하는 노래를 많이 ④ _____.

수지 : 우와, 정말 ⑤ _____.

4) 다시 들으면서 답을 확인해 보세요. 그리고 따라 해 보세요.

---

2. 다음을 잘 듣고 다음과 같이 억양을 표시해 보세요. 그리고 따라 해 보세요.

03

중학교 때 친구요?↗

1) 무슨 일 있어요?

2) 정말요?

3) 어느 가수 콘서트에 갔어요?

4) 친한 친구였어요?

세종학당 친구 유진 씨

1. 다음을 잘 읽고 질문에 답하세요.

> 내일 오랜만에 유진 씨를 만나기로 했습니다. 유진 씨는 제가 세종학당에 다닐 때 만난 친구입니다. 우리는 케이팝(K-POP)을 들으면서 한국어를 같이 공부했습니다. 그리고 유진 씨는 저에게 한국 드라마 동아리도 소개해 줬습니다. 우리는 동아리 활동을 같이 했지만 유진 씨는 요즘 바빠서 동아리 활동을 할 수 없습니다. 그동안 유진 씨와 연락을 못 했는데 오랜만에 만나면 정말 즐거울 것 같습니다. 이번에는 제가 유진 씨에게 새로운 한국 드라마 내용을 이야기해 줄 겁니다.

1) 두 사람은 어디에서 만났어요?

① 회사에서 만났어요.
② 한국에서 만났어요.
③ 세종학당에서 만났어요.
④ 한국 드라마 동아리에서 만났어요.

2) 이 사람은 유진 씨에게 무슨 이야기를 해 줄 거예요?

① 동아리 이야기
② 세종학당 이야기
③ 한국 여행 이야기
④ 새로운 한국 드라마 이야기

3) 읽은 내용과 같으면 ○, 다르면 × 표시를 해 보세요.

① 어제 이 사람은 유진 씨를 만났어요.　　　　(　)
② 이 사람과 유진 씨는 같이 영어를 공부했어요.　(　)

친구와의 경험 쓰기

1. 알맞은 표현을 찾아 문장을 완성해 보세요.

| 출퇴근하다 | 다른 도시로 이사 가다 | 회사에 다니다 | 오랜만에 만나다 |

1) 재민 씨는 제가 _____ (-(으)ㄹ 때) 만난 친구입니다.

2) 우리는 같이 버스를 타고 _____ (-(으)면서) 친한 친구가 되었습니다.

3) 제가 _____ (-(으)ㄴ 후에) 재민 씨를 자주 만날 수 없었습니다.

4) 재민 씨를 _____ (-(으)면) 정말 반가울 것 같습니다.

2. 다음 글을 읽고 빈칸에 알맞은 말을 넣어 다시 써 보세요.

> 오늘 아침에 오랜만에 민수 씨를 만났습니다. 그래서 아침부터 기분이 아주 좋았습니다. 민수 씨는 제가 한국에 처음 왔을 때 만난 친구입니다. 우리는 영화 동아리 활동을 하면서 가장 친한 친구가 되었습니다. 제가 한국에 처음 왔을 때 많이 힘들었지만 민수 씨가 많이 도와줬습니다. 저에게 좋은 한국 친구들을 많이 소개해 줘서 한국 생활이 즐거웠습니다. 하지만 대학교를 졸업한 후에 민수 씨를 자주 만날 수 없었습니다. 그동안 민수 씨와 연락을 못 했는데 오랜만에 만나서 정말 기뻤습니다.

오늘 아침에 공원에서 오랜만에 미나 씨를 만났습니다. 그래서 아침부터 기분이 아주 좋았습니다.

미나 씨는 제가 _____. (대학교에 다니다, 만나다, 친구)

우리는 _____. (같은 수업을 듣다, 친한 친구가 되다)

제가 _____ (대학교에 다니다, 걱정이 많다)

미나 씨가 많이 도와줬습니다. 저에게 _____

_____. (새로운 곳을 소개하다, 대학 생활이 재미있다) **하지만**

_____.

(아르바이트를 시작하다, 자주 못 보다) **그동안 미나 씨와 연락을 못 했는데**

_____. (오랜만에 만나다, 즐겁다)

1. 잘 듣고 다음과 같이 써 보세요. 그리고 알맞은 그림을 찾아 연결해 보세요.

1)   노래를 따라서 불러요.   ●   ●

2)   ●   ●

3)   ●   ●

4)   ●   ●

5)   ●   ●

---

2. 그림을 보고 써 보세요.

1)   2)    3)   4)    5)

1)   음식을 먹으면서 공연을 보고 있어요   .

2)   .

3)   .

4)   .

5)   .

–네요

1. 다음과 같이 문장을 완성해 보세요.

1) 티셔츠가 너무 크네요 .

2) 시계가 정말 .

(1,000,000원)

3) 매운 음식을 잘 .

4) 오늘 날씨가 많이 .

5) 바지가 너무 .

---

2. 알맞은 것을 골라 대화를 완성해 보세요.

| 멀다 | 작다 | 맛있다 | 무겁다 | 예쁘다 |

가 : 옷을 입어 보니까 어때요?

나 : 생각보다 많이 작네요.

1) 가 : 이 케이크는 수지 씨가 만들었어요.

   나 : 정말요? 정말 .

2) 가 : 집에서 세종학당까지 1시간 걸려요.

   나 : 생각보다 .

3) 가 : 제 여동생 사진이에요.

   나 : 와, 정말 .

4) 가 : 주노 씨, 제 가방 좀 같이 들어 주세요.

   나 : 네. 그런데 가방이 아주 .

–지 말다

1. 알맞은 것을 골라 문장을 완성해 보세요.

| 담배를 피우다 | 음식을 먹으면서 보다 | 사진을 찍다 | 친구와 떠들다 | 앞자리를 발로 차다 |

1) 공연장에서 음식을 먹으면서 보지 마세요 .

2) 학교에서 _____ .

3) 수업 시간에 _____ .

4) 박물관에서 _____ .

5) 영화관에서 _____ .

2. 다음과 같이 문장을 완성해 보세요.

| 창문을 열다 | 비가 오니까 창문을 열지 마세요 .

1) 보다   영화가 재미없으니까 _____ .

2) 만들다   케이크를 샀으니까 _____ .

3) 영어로 이야기하다   한국어 수업에서 _____ .

4) 두꺼운 옷을 입다   날씨가 따뜻하니까 _____ .

영화 관람

1. 다음을 잘 듣고 질문에 답하세요.

　1) 두 사람은 지금 뭐 하고 있어요?

　　① 영화를 보고 있어요.　　　　② 영화관에 가고 있어요.

　　③ 영화 시작을 기다리고 있어요.　　④ 영화표를 사고 있어요.

　2) 영화관에서 무엇을 조심해야 해요?

　　① 　　② 　　③ 　　④

　3) 다시 들으면서 빈칸에 알맞은 말을 써 보세요.

　　안나 : 와, 영화관이 정말 ① _____.

　　재민 : 좋지요? 여기 ② _____ 받으세요.

　　안나 : 고마워요. 저는 한국에서 영화를 보는 것은 처음이에요. 혹시 뭘 조심해야 해요?

　　재민 : 안나 씨 나라 영화관하고 비슷하니까 걱정하지 마세요.

　　　　영화를 볼 때 자리를 ③ _____ 핸드폰으로 ④ _____.

　　안나 : 네. 알겠어요. 곧 영화가 시작해요. 영화가 ⑤ _____.

　4) 다시 들으면서 답을 확인해 보세요. 그리고 따라 해 보세요.

---

2. 다음을 잘 듣고 다음과 같이 억양을 표시해 보세요. 그리고 따라 해 보세요.

　사람이 아주 많네요!

　1) 영화관이 정말 좋네요!

　2) 극장이 멋있네요!

　3) 영화가 아주 재미있네요!

　4) 연극 배우가 예쁘네요!

콘서트 안내

1. 다음을 잘 읽고 질문에 답하세요.

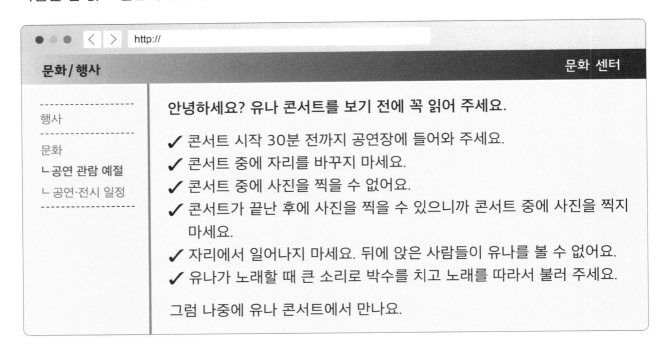

문화 / 행사　　　　　　　　　　　　　　　　　　　　　　문화 센터

행사

문화
ㄴ 공연 관람 예절
ㄴ 공연·전시 일정

안녕하세요? 유나 콘서트를 보기 전에 꼭 읽어 주세요.

✔ 콘서트 시작 30분 전까지 공연장에 들어와 주세요.
✔ 콘서트 중에 자리를 바꾸지 마세요.
✔ 콘서트 중에 사진을 찍을 수 없어요.
✔ 콘서트가 끝난 후에 사진을 찍을 수 있으니까 콘서트 중에 사진을 찍지 마세요.
✔ 자리에서 일어나지 마세요. 뒤에 앉은 사람들이 유나를 볼 수 없어요.
✔ 유나가 노래할 때 큰 소리로 박수를 치고 노래를 따라서 불러 주세요.

그럼 나중에 유나 콘서트에서 만나요.

1) 콘서트에서 뭘 할 수 있어요?

① 큰 소리로 박수를 쳐요.
② 콘서트 중에 사진을 찍어요.
③ 콘서트 중에 자리를 바꿔요.
④ 콘서트 시작 10분 전에 들어와요.

2) 위의 콘서트 안내에 있는 내용을 <u>모두</u> 고르세요.

① 　　② 　　③ 　　④

3) 읽은 내용과 같으면 ○, 다르면 × 표시를 해 보세요.

① 콘서트 시작 삼십 분 전까지 공연장에 들어와야 해요.　　（　　　）
② 콘서트가 끝난 후에 사진을 찍을 수 없어요.　　（　　　）

영화 관련 예절 쓰기

1. 알맞은 표현을 찾아 문장을 완성해 보세요.

| 공연이 시작하다 | 자리에서 일어나다 | 공연장에 들어오다 | 박수를 치다 |

1) 공연 시작 10분 전까지 _____. (-아 / 어 주세요)

2) _____ (-기 전에) 자리에 앉아 주세요.

3) 공연을 보는 중에 _____ (-지 마세요) 뒤에 앉은 사람이 공연을 볼 수 없어요.

4) 공연이 시작되면 _____. (-아 / 어 주세요)

---

2. 다음 글을 읽고 빈칸에 알맞은 말을 넣어 다시 써 보세요.

> 세종영화관의 영화 관람 예절을 알아볼까요?
>
> 먼저 영화 시작 10분 전까지 영화관에 들어와 주세요. 영화가 시작되면 옆 사람과 크게 이야기하지 마세요. 조용히 해 주세요. 그리고 영화를 보다가 자리에서 일어나지 마세요. 뒤에 앉은 사람들이 영화를 볼 수 없어요. 쓰레기는 영화관 안에 버리지 말고 영화관 밖 쓰레기통에 버려 주세요. 그럼 모두 영화 관람 예절을 잘 지켜 주세요. 감사합니다.

세종극장의 연극 관람 예절을 알아볼까요?

먼저 연극 시작 15분 전까지 _____. (자리에 앉다) 연극이 시작되면

_____. (핸드폰으로 사진을 찍다)

공연장 밖에서 _____. (사진을 찍다)

그리고 연극을 보다가 _____. (앞자리를 발로 차다)

_____. (앞에 앉은 사람, 연극을 보다)

전화는 극장 안에서 _____. (받다, 극장 밖에서 받다)

그럼 모두 연극 관람 예절을 잘 지켜 주세요. 감사합니다.

공공장소 규칙

1. 알맞은 그림을 찾아 연결해 보세요.

1) <u>쓰레기를 버려요.</u> •

2) 여기저기 뛰어요. •

3) 큰 소리로 노래를 들어요. •

4) 안전선을 넘어요. •

5) 줄을 서서 기다려요. •

---

2. 알맞은 것을 골라 대화를 완성해 보세요.

| 시끄럽게 통화하다 | 천천히 타다 | 규칙을 잘 지키다 | 다른 사람을 밀다 |

1) 가 : 학생들이 식당 앞에서 줄을 서서 기다리고 있어요.

　　나 : 네. 우리 학교 학생들이 _____. (-네요)

2) 가 : 지하철역에 사람이 아주 많아요.

　　나 : 네. 지하철을 탈 때 _____. (-지 마세요) 위험해요.

3) 가 : 저기 아저씨가 _____. (-고 있어요)

　　나 : 여기에서 전화할 수 없어요. 제가 이야기해 줄게요.

4) 가 : 이 버스는 계단이 좀 높으니까 빨리 타면 위험해요. _____. (-(으)세요)

　　나 : 네. 조심할게요.

–아도/어도 되다

1. 빈칸을 채워 보세요.

동사	-아도 돼요	동사	-어도 돼요	동사	해도 돼요
받다	받아도 돼요	먹다	먹어도 돼요	사용하다	사용해도 돼요
가다		만들다		요리하다	
보다		주다		전화하다	
타다		버리다		퇴근하다	
만나다		*듣다	들어도 돼요	이야기하다	

2. 다음과 같이 대화를 완성해 보세요.

1) [이 펜, 쓰다]

가 : 이 펜을 써도 돼요 ?

나 : 네. 써도 돼요 .

2) 텔레비전, 보다

가 : 지금 ?

나 : 네.

3) 오늘, 조금 늦게 가다

가 : ?

나 : 아니요. 오늘 회의가 있어요. 일찍 오세요.

4) 집, 놀러 가다

가 : ?

나 : 네. 놀러 오세요.

5) 사진, 찍다

가 : 여기에서 ?

나 : 아니요. 안 돼요.

6) 친구, 이야기하다

가 : 수업 시간에 ?

나 : 아니요. 안 돼요.

7) 이 자리, 앉다

가 : ?

나 : 네.

–(으)면 안 되다

1. 빈칸을 채워 보세요.

동사	-으면 안 돼요	동사	-면 안 돼요
늦다	늦으면 안 돼요	자다	자면 안 돼요
먹다		마시다	
입다		말하다	
찍다		들어가다	
★듣다	들으면 안 돼요	만들다	

2. 그림을 보고 문장을 완성해 보세요.

여기에 주차를 하면 안 돼요   .

1)

여기에서 ....

2)

여기에서 ....

3)

여기에서 ....

4)

여기에 ....

5)

여기에서 ....

6)

여기에서 ....

7)

여기에서 ....

아파트 관리실 안내

1. 다음을 잘 듣고 질문에 답하세요.

🔊 01

1) 어디에서 안내 방송을 했어요?

2) 들은 내용과 <u>다른</u> 것을 고르세요.

① 이 아파트에는 공원이 있어요.
② 이 아파트에는 지하 주차장이 있어요.
③ 오늘 오후부터 지하 주차장을 청소해요.
④ 집 안에서 아이들이 뛰어다니면 안 돼요.

3) 다시 들으면서 빈칸에 알맞은 말을 써 보세요.

안녕하세요? 아파트 관리실입니다. 아파트에는 많은 사람들이 살고 있습니다. 편안하고 깨끗한 아파트를 함께 만들어 주세요. 집 안에서 아이들이 너무 ① _____. 그리고 집 안에서 ② _____ 아파트 공원에 ③ _____. 그리고 오늘 오전에 지하 주차장 ④ _____. 오후부터 지하 주차장에 ⑤ _____. 감사합니다.

4) 다시 들으면서 답을 확인해 보세요. 그리고 따라 해 보세요.

2. 다음을 잘 듣고 맞게 발음한 것에 √ 표시를 해 보세요. 그리고 따라 해 보세요.

🔊 02

1) 음료수   가 (   ) 나 (   )

2) 정리   가 (   ) 나 (   )

3) 정류장   가 (   ) 나 (   )

4) 음력   가 (   ) 나 (   )

이메일 답장

1. 다음을 잘 읽고 질문에 답하세요.

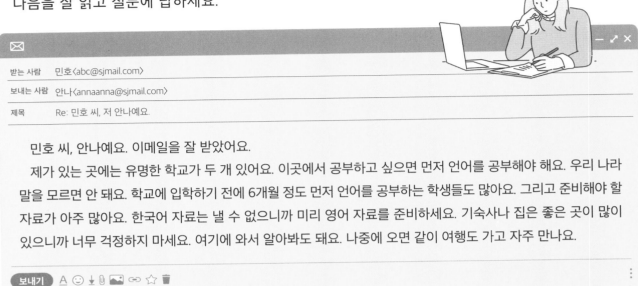

> 받는 사람　민호〈abc@sjmail.com〉
> 보내는 사람　안나〈annaanna@sjmail.com〉
> 제목　　　　Re: 민호 씨, 저 안나예요.
>
> 　민호 씨, 안나예요. 이메일을 잘 받았어요.
> 　제가 있는 곳에는 유명한 학교가 두 개 있어요. 이곳에서 공부하고 싶으면 먼저 언어를 공부해야 해요. 우리 나라 말을 모르면 안 돼요. 학교에 입학하기 전에 6개월 정도 먼저 언어를 공부하는 학생들도 많아요. 그리고 준비해야 할 자료가 아주 많아요. 한국어 자료는 낼 수 없으니까 미리 영어 자료를 준비하세요. 기숙사나 집은 좋은 곳이 많이 있으니까 너무 걱정하지 마세요. 여기에 와서 알아봐도 돼요. 나중에 오면 같이 여행도 가고 자주 만나요.
>
> **보내기**　A ☺ ↓ 📎 🖼 🔗 ☆ 🗑　　　⋮

1) 민호 씨는 안나 씨에게 왜 메일을 썼을까요?

① 안나 씨가 사는 곳에 유학을 가고 싶어서 정보를 물어봐요.
② 안나 씨가 있는 곳에 여행을 가고 싶어서 추천을 받고 싶어요.
③ 안나 씨가 있는 곳에서 살고 싶어서 좋은 집을 알아보고 싶어요.
④ 안나 씨가 다니는 학교의 친구를 사귀고 싶어서 방법을 물어봐요.

2) 민호 씨는 한국에서 뭘 준비해야 해요? <u>모두</u> 고르세요.

① 언어를 공부해요.
② 집을 미리 구해요.
③ 기숙사를 알아봐요.
④ 영어 자료를 준비해요.

3) 읽은 내용과 같으면 ○, 다르면 × 표시를 해 보세요.

① 안나 씨는 민호 씨가 오면 자주 만나고 싶어 해요.　　(　　)
② 안나 씨가 사는 곳에는 유명한 학교가 아주 많아요.　　(　　)

한국의 교통을 소개하는 글쓰기

1. 알맞은 표현을 찾아 문장을 완성해 보세요.

소개하다	아주 편리하다	다른 사람을 밀다	물이나 음료수를 마시다

1) 저는 한국 지하철을 ＿＿＿＿＿＿＿＿＿＿＿＿＿＿＿＿＿＿ . (-고 싶습니다)

2) 지하철은 깨끗하고 안전하지만 탈 때 뛰거나 ＿＿＿＿＿＿＿＿＿ . (-(으)면 안 됩니다)

3) 지하철 안에서 음식은 먹을 수 없지만 ＿＿＿＿＿＿＿＿＿＿＿＿＿＿ .

(-(으)ㄹ 수 있습니다)

4) 한국 지하철은 ＿＿＿＿＿＿＿＿＿＿＿＿＿＿＿＿＿＿＿ . (-습니다 / ㅂ니다)

2. 다음 글을 읽고 빈칸에 알맞은 말을 넣어 다시 써 보세요.

> 저는 한국의 교통을 소개하고 싶습니다. 한국 사람들은 버스와 지하철을 자주 이용합니다. 한국 지하철은 깨끗하고 안전하지만 탈 때 뛰거나 다른 사람을 밀면 안 됩니다. 지하철 안에는 몸이 아픈 사람이나 연세가 많은 분들이 앉는 자리가 있습니다. 지하철 안에서 음식은 먹을 수 없지만 물이나 음료수는 마실 수 있습니다. 교통 카드로 지하철을 탄 후에 버스로 갈아타면 할인을 받을 수 있습니다. 한국 지하철은 아주 편리합니다.

저는 한국의 교통을 소개하고 싶습니다. 한국 사람들은 버스와 지하철을 자주 이용합니다. 한국

버스는 ＿＿＿＿＿＿＿＿＿＿＿＿＿＿＿＿ (요금이 싸다, 안전하다) **탈 때**

＿＿＿＿＿＿＿＿＿＿＿＿＿＿＿＿＿ . (뛰다, 빨리 타다)

버스 안에는 몸이 아픈 사람이나 연세가 많은 분들이 앉는 자리가 있습니다. 버스 안에서는 ＿＿＿

＿＿＿＿＿＿＿＿＿＿＿＿＿＿ (음식이나 음료수, 마시다) **수 없습니다.**

교통 카드로 버스를 탄 후에 ＿＿＿＿＿＿＿＿＿＿ (지하철로 갈아타다) **할인을 받을 수**

있습니다. 한국 버스는 ＿＿＿＿＿＿＿＿＿＿＿＿ . (깨끗하다, 편리하다)

1. 다음 사람들은 성격이 어때요? 알맞은 것을 골라 써 보세요.

게으르다	성격이 밝다	성격이 급하다	성격이 착하다	성격이 조용하다

1) 저는 항상 일을 빨리빨리 해요.   저는 성격이 급해요.
....

2) 저는 많이 웃고 항상 좋은 생각을 많이 해요.
....

3) 저는 친구가 힘들 때 잘 도와줘요.
....

4) 저는 다른 사람과 말하는 것을 안 좋아해요.
....

5) 저는 일하기가 싫어요. 그리고 일을 빨리 안 해요.
....

---

2. 알맞은 것을 골라 대화를 완성해 보세요.

활발하다	말이 많다	부지런하다	성격이 재미있다

1) 가 : 저기 계속 이야기하는 사람이 누구예요?

   나 : 아, 제 친구예요. 조금 .... 사람이에요.

2) 가 : .... 사람이 되고 싶은데 또 늦었네요.

   나 : 요즘 일이 많아서 그렇지요. 힘내세요.

3) 가 : 저는 주노 씨를 만나면 항상 즐거워요.

   나 : 맞아요. 주노 씨는 .... 사람이에요.

4) 가 : 안나 씨는 학생 때 활동을 많이 했어요?

   나 : 네. 여러 활동을 했어요. .... 사람이었어요.

1. 다음 중 맞는 것을 골라 √ 표시를 해 보세요.

> 저는 교수님(① 에게서   ②√ 께) 한국 친구를 소개받았어요.

1)   저는 언니(① 한테서   ② 께) 한복을 선물 받았어요.

2)   유진 씨가 친구(① 한테서   ② 에서) 결혼 소식을 들었어요.

3)   저는 할아버지(① 에게서   ② 께) 옛날이야기를 들었어요.

4)   마리 씨, 옆 회사(① 에게서   ② 에서) 전화 왔어요. 전화 받으세요.

2. '한테서, 께, 에서'를 사용해서 대화를 완성해 보세요.

1)   가 : 마리 씨, 그 펜을 찾았어요?

   나 : 네. 안나 씨 필통에 있었어요. 안나 씨한테서 받았어요   . (안나, 받다)

2)   가 : 지금 밖에 비가 많이 와요.

   나 : 네. 조금 전에 _____. (주노, 듣다)

3)   가 : 안나 씨, 벌써 과제를 끝냈어요?

   나 : 네. _____. (유진, 도움을 받다)

4)   가 : 와, 한국어를 정말 잘해요.

   나 : 고마워요. _____. (김 선생님, 배우다)

5)   가 : 오늘 _____. (학교, 메일이 오다)

   확인했어요?

   나 : 아니요. 아직 안 했어요. 무슨 메일이에요?

1. 빈칸을 채워 보세요.

동사	-으니까	동사	-니까
먹다	먹으니까	끝내다	끝내니까
받다		만나다	
읽다		들어가다	
입다		도착하다	
★듣다	들으니까	★열다	여니까

2. 알맞은 것을 골라 대화를 완성해 보세요.

가다	열다	읽어 보다	지나다	들어오다	시작되다

가 : 제가 빌려준 책 다 봤어요?

나 : 네. 읽어 보니까 이야기가 정말 재미있었어요.

1) 가 : 어? 왜 이렇게 빨리 왔어요? 햄버거를 벌써 사 왔어요?

    나 : 햄버거가 빨리 나왔어요. 주문하고 3분쯤 .... 바로 나왔어요.

2) 가 : 다녀왔어요? 오늘은 김치찌개를 준비했어요.

    나 : 집 안에 .... 맛있는 냄새가 나요. 빨리 먹고 싶어요.

3) 가 : 날씨가 정말 좋네요. 이제 겨울이 끝난 것 같아요.

    나 : 맞아요. 봄이 .... 날씨가 정말 따뜻해요.

4) 가 : 상자가 아주 예뻐요. 선물 받았어요?

    나 : 네. 상자를 .... 친구가 직접 그린 그림이 들어 있었어요.

5) 가 : 오늘 백화점에 .... 사람이 많았어요.

    나 : 정말요? 휴일이 아닌데 이상하네요.

옆집에 이사 온 가족

1. 다음을 잘 듣고 질문에 답하세요.

1) 옆집 사람은 언제 이사 왔어요?

2) 들은 내용과 <u>다른</u> 것을 고르세요.

① 이사 온 가족 중에 딸이 한 명 있어요.
② 안나 씨는 옆집 사는 딸과 이야기했어요.
③ 옆집에 학교 선생님 가족이 이사 왔어요.
④ 옆집 선생님 딸은 안나보다 나이가 적어요.

3) 다시 들으면서 빈칸에 알맞은 말을 써 보세요.

안나 : ① _____ 우리 옆집이 새로 이사 왔어요.

유진 : 그래요? 안나 씨 옆집에 어떤 사람들이 이사 왔어요?

안나 : ② _____ 들었는데 근처에 있는 학교 선생님 가족이에요.

딸이 한 명 있는데 저보다 ③ _____ .

그 언니하고 ④ _____ 성격도 좋고 착한 것 같았어요.

유진 : 좋은 사람들이 이사 왔네요.

4) 다시 들으면서 답을 확인해 보세요. 그리고 따라 해 보세요.

2. 다음을 잘 듣고 끊어 읽는 부분에 모두 √ 표시를 해 보세요. 그리고 따라 해 보세요.

1) 엄마한테서 (　　　) 들었는데 (　　　) 근처에 (　　　) 있는 (　　　) 학교 (　　　) 선생님
(　　　) 가족이에요.

2) 그 (　　　) 언니하고 (　　　) 이야기해 보니까 (　　　) 성격도 (　　　) 좋고 (　　　) 착한
(　　　) 것 (　　　) 같았어요.

음식 성격 테스트

1. 다음을 잘 읽고 질문에 답하세요.

> 여러분은 어떤 음식을 좋아해요?
>
> ☞ 과일 : 성격이 밝고 활발해서 친구가 아주 많아요. 조금 게으르지만 좋아하는 일을
>   정말 열심히 해요.
> ☞ 채소 : 매우 부지런한 사람이에요. 공부를 좋아하고 여러 가지를 많이 배워요. 자신의
>   건강을 많이 걱정해요.
> ☞ 고기 : 성격이 조금 급한 사람이에요. 하지만 하고 싶은 일이 있으면 바로 시작해서
>   성공해요.
> ☞ 생선 : 말이 적은 사람이에요. 하지만 마음이 따뜻하고 착해서 좋은 친구들이 많아요.
>
>   여러분은 무엇을 골랐어요? 여러분의 성격과 비슷한 것 같아요? '성격 테스트'는 재미있는
> 놀이와 같아요. 그래서 여러분의 성격과 다를 수 있어요.

1) 읽은 내용과 같으면 ○, 다르면 × 표시를 해 보세요.

① 성격 테스트는 성격을 알아보는 재미있는 놀이예요.   (   )
② 성격 테스트의 결과가 맞지 않는 사람도 있을 수 있어요.   (   )
③ 이 글은 자주 먹는 음식을 골라서 성격을 알아보는 성격 테스트예요.   (   )

2) 관련이 있는 것을 <u>모두</u> 연결해 보세요.

① 과일을 고른 사람 •   • 활발해요.
                                          • 게을러요.
② 채소를 고른 사람 •   • 부지런해요.
                                          • 말이 적어요.
③ 고기를 고른 사람 •   • 성격이 급해요.
                                          • 성격이 밝아요.
④ 생선을 고른 사람 •   • 성격이 착해요.
                                          • 마음이 따뜻해요.

선생님을 소개하는 글쓰기

1. 알맞은 표현을 찾아 문장을 완성해 보세요.

| 지난달 | 우리 반 선생님 | 성격이 좋다 | 많이 도와주시다 | 케이팝(K-POP)을 듣다 |

1) 저는 .... (을/를) 소개하고 싶습니다.

2) 저는 .... (에) 선생님을 처음 만났습니다.

3) 선생님은 .... (-고) 재미있는 분입니다.

4) 선생님은 학생들의 한국어 공부를 .... (-아서/어서) 인기가 많습니다.

5) 선생님은 .... (-는) 것을 좋아합니다.

---

2. 다음 글을 읽고 빈칸에 알맞은 말을 넣어 다시 써 보세요.

> 저는 우리 반 김 선생님을 소개하고 싶습니다. 저는 작년에 세종학당에서 선생님을 처음 만났습니다. 선생님은 키가 크고 멋있습니다. 그리고 선생님은 성격이 좋고 재미있는 분입니다. 학생들의 한국어 공부를 많이 도와주셔서 인기도 많습니다. 선생님은 케이팝(K-POP) 듣는 것을 좋아해서 수업 시간에 한국 노래를 많이 알려 줍니다. 김 선생님은 한국어도 잘 가르쳐 주고 재미있는 분입니다.

저는 .... (우리 반 박 선생님) 소개하고 싶습니다. 저는

.... (몇 달 전, 세종학당) 선생님을 처음 만났습니다.

선생님은 .... (머리가 길다, 예쁘다)

그리고 선생님은 .... (성격이 밝다, 착하다) 분입니다.

학생들의 .... (이야기를 많이 들어 주다) 인기도 많습니다.

선생님은 .... (빵을 만들다) 좋아해서 가끔 수업 시간에

맛있는 빵을 가져옵니다. 박 선생님은 한국어도 잘 가르쳐 주고 좋은 분입니다.

1. 잘 듣고 그림에 어울리는 것을 찾아 연결해 보세요.

1)   •

2)   •

3)   •

- 날씬하다
- 통통하다
- 눈이 크다
- 키가 작다
- 키가 크다
- 머리가 길다
- 머리가 짧다
- 다리가 길다
- 안경을 쓰다

2. 알맞은 것을 골라 대화를 완성해 보세요.

| 마르다 | 잘생기다 | 입이 크다 | 키가 보통이다 |

1) 가 : 수지 씨, 요즘 조금 _____. (-(으)ㄴ 것 같아요)

   나 : 요즘 일이 많고 힘들었어요. 바쁜 일이 끝나서 이제는 밥을 잘 먹을 거예요.

2) 가 : 친구에게 선물하고 싶은데 이 치마 괜찮을까요?

   나 : 아주 예뻐요. 그런데 길이가 잘 맞을까요?

   가 : 친구는 _____ (-(으)니까) 괜찮을 것 같아요.

3) 가 : 가족사진이지요? 여기 가운데 있는 사람은 누구예요?

   나 : 제 형이에요. 멋있고 _____? (-았지요 / 었지요)

4) 가 : 이걸 한 번에 다 먹을 수 있어요?

   나 : 네. 저는 _____ (-아서 / 어서) 한 번에 많이 먹을 수 있어요.

-는데 / (으)ㄴ데

1. 빈칸을 채워 보세요.

동사	-는데	형용사	-은데	형용사	-ㄴ데
먹다	먹는데	넓다	넓은데	크다	큰데
읽다		많다		비싸다	
가다		짧다		아니다	
일하다		*덥다	더운데	날씬하다	
*만들다	만드는데	*맛있다	맛있는데	*길다	긴데

2. 다음과 같이 대화를 완성해 보세요.

> 예쁘다, 크다

가 : 이 선글라스 어때요?

나 : 디자인은 예쁜데 _____ 크기가 너무 커요 _____.

1) 있다, 없다

가 : 그 소설책이 집에 있어요?

나 : 1권은 _____ 2권은 _____.

2) 춥다, 덥다

가 : 12월에 한국과 호주의 날씨는 어때요?

나 : 한국은 _____ 호주는 _____.

3) 공부하다, 놀다

가 : 지금 가족들은 뭐 해요?

나 : 누나는 _____ 동생은 _____.

4) 잘 먹다, 못 먹다

가 : 김치를 먹을 수 있어요?

나 : 네. 저는 _____ 친구들은 _____.

5) 싫어하다, 자주 마시다

가 : 안나 씨, 커피 마실 거예요?

나 : 네. 주세요. 전에는 _____ 요즘은 _____.

6) 괜찮다, 바쁘다

가 : 우리 내일 주노 씨 생일 선물 사러 갈까요?

나 : 미안해요. 오늘은 _____ 내일은 _____.

1. 다음 중 맞는 것을 골라 √ 표시를 해 보세요.

　　1)　가 : 저 오늘 시장에 갈 거예요. 사과가 많이 남았어요?

　　　　나 : 아니요. 세 개밖에 (① 있어요　② 없어요).

　　2)　가 : 오늘 커피 많이 마셨어요?

　　　　나 : 아니요. 한 잔밖에 (① 마셨어요　② 못 마셨어요).

　　3)　가 : 안녕하세요? 장미꽃을 선물하려고 해요.

　　　　나 : 손님, 장미가 두 송이밖에 (① 있는데　② 없는데) 다른 꽃은 어떠세요?

　　4)　가 : 벌써 저녁을 준비해요?

　　　　나 : 네. 오늘 빵 하나밖에 (① 안 먹어서　② 먹어서) 저녁을 빨리 먹으려고 해요.

---

2. 알맞은 것을 골라 대화를 완성해 보세요.

2권	3명	10분	1,000원

가 : 회의 시간이 10분 밖에 안 남았는데 자료 준비를 못 끝냈어요.

나 : 그래요? 제가 도와줄게요.

　　1)　가 : 안녕하세요? 이것과 똑같은 공책 다섯 권 주세요.

　　　　나 : 손님, 죄송합니다. 지금 그 공책은 ＿＿＿＿＿＿＿＿＿＿ 없어요.

　　2)　가 : 오늘 모임에 사람들이 많이 와요?

　　　　나 : ＿＿＿＿＿＿＿＿＿＿ 안 와요. 음식을 너무 많이 준비한 것 같아요.

　　3)　가 : 저 현금이 ＿＿＿＿＿＿＿＿＿＿ 없어요. 카드로 계산해도 돼요?

　　　　나 : 네. 손님, 카드도 괜찮습니다.

마리 씨의 사진 이야기

1. 다음을 잘 듣고 질문에 답하세요.

1) 두 사람이 보고 있는 사진은 무슨 사진이에요?

2) 들은 내용과 같은 것을 고르세요.

① 마리 씨는 어릴 때 키가 아주 컸어요.
② 마리 씨의 친구는 안경을 쓰지 않았어요.
③ 마리 씨는 어릴 때 지금과 많이 달랐어요.
④ 마리 씨의 친한 친구는 작년에 결혼했어요.

3) 다시 들으면서 빈칸에 알맞은 말을 써 보세요.

유진 : 마리 씨, 이거 무슨 사진이에요?

마리 : 어릴 때 친구들하고 찍은 사진이에요.

유진 : 모두 귀여워요. 마리 씨는 지금하고 ① .

마리 : 네. 어릴 때는 키가 ② 지금은 보통이에요.

유진 : 마리 씨 옆에 ③ 누구예요?

마리 : 제 친한 친구예요. 그 옆에 있는 친구하고 ④ .

친한 친구들이 결혼해서 ⑤ .

4) 다시 들으면서 답을 확인해 보세요. 그리고 따라 해 보세요.

2. 다음을 잘 듣고 단어에 들어 있는 모음에 √ 표시를 해 보세요. 그리고 따라 해 보세요.

1) ① ㅚ ② ㅘ
2) ① ㅟ ② ㅚ
3) ① ㅝ ② ㅙ
4) ① ㅘ ② ㅝ

안나 씨의 친구

1. 다음을 잘 읽고 질문에 답하세요.

마리 씨

오늘 한국에서 친한 친구가 오는데 급한 일이 생겨서 제가 못 가요.

혹시 공항에 가 줄 수 있어요?

그래요. 몇 시에 오는데요?

3시에 도착해요. 갑자기 일이 생겼어요. 미안해요.

알겠어요. 친구를 어떻게 찾을까요?

제 친구는 대학생이에요. 키가 보통이고 날씬해요. 눈이 크고 안경을 썼어요. 머리가 길고 귀여운 스타일이에요. 제가 사진을 핸드폰으로 보내 줄게요.

아니에요. 안나 씨, 친구를 만나면 연락할게요.

1) 안나 씨는 왜 공항에 못 가요?

2) 안나 씨가 보낼 친구의 사진을 고르세요.

① ② ③ ④

3) 읽은 내용과 <u>다른</u> 것을 고르세요.

① 안나 씨의 친구는 비행기로 세 시에 한국에 도착해요.
② 마리 씨는 안나 씨 친구를 만나서 안나 씨에게 연락할 거예요.
③ 마리 씨는 안나 씨 친구에게서 직접 이름과 연락처를 받았어요.
④ 안나 씨의 친구는 머리가 길고 안경을 쓰고 귀여운 스타일이에요.

형제를 소개하는 글쓰기

1. 알맞은 표현을 찾아 문장을 완성해 보세요.

날씬하다	두 명 있다	게임밖에 모르다	게임 회사에서 일하다

1) 저는 누나가 한 명, 형이 .... (-습니다 / ㅂ니다)

2) 저와 누나는 어렸을 때 .... (-는/(으)ㄴ) 아이들이었습니다.

3) 우리는 커서 .... (-고 싶었습니다)

4) 저는 어렸을 때 .... (-있는데/었는데) 지금은 살이 쪄서 조금 통통합니다.

---

2. 다음 글을 읽고 빈칸에 알맞은 말을 넣어 다시 써 보세요.

> 저는 언니가 한 명 있습니다. 저와 언니는 어렸을 때 음악밖에 모르는 아이들이었습니다. 수업이 끝나면 하루 종일 같이 피아노를 치고 노래를 불렀습니다. 우리는 커서 가수가 되고 싶었습니다. 하지만 언니는 선생님이 되었고 저는 운동선수가 되었습니다. 어렸을 때 언니는 저보다 예쁘고 공부도 잘했습니다. 저는 어렸을 때 키가 작고 통통했는데 지금은 언니보다 크고 날씬합니다. 저는 지금도 노래하는 것을 좋아하는데 언니는 학교밖에 모릅니다.

저는 .... (누나 한 명, 형 두 명이 있다)

저와 누나는 어렸을 때 .... (게임) 아이들이었습니다.

수업이 끝나면 하루 종일 .... (같이 게임을 하다) 우리는 커서

.... (게임 회사에서 일하다) 하지만 누나는

.... (의사가 되다)

저는 기자가 되었습니다. 어렸을 때 누나는 저보다 .... (키가 크다)

운동도 잘하고 게임도 잘했습니다. 저는 어렸을 때 날씬했는데 지금은 살이 쪄서 조금 통통합니다. 저는

지금도 .... (게임을 좋아하다) 누나는 .... (일)

인물의 특징

1. 다음은 어떤 사람이에요? 알맞은 것을 골라 써 보세요.

잘 웃다	생각이 깊다	(마음이 잘 맞다)	마음이 따뜻하다	성격이 편안하다

1) 저와 생각하는 것이 비슷한 사람이에요. .... 　마음이 잘 맞는 사람

2) 작은 일에도 많이 즐거워하고 웃어요. ....

3) 친절하고 다른 사람을 많이 도와줘요. ....

4) 무슨 일을 하기 전에 많이 생각하고 해요. ....

5) 걱정을 많이 하지 않고 다른 사람과 관계도 좋아요. ....

2. 알맞은 것을 골라 대화를 완성해 보세요.

마음이 넓다	인사를 잘하다	말이 잘 통하다	취미가 비슷하다

1) 가 : 저 사람은 누구예요? 모르는 사람에게 .... (-네요)

   나 : 아, 아는 사람이에요. 우리 아파트에 사는 분이에요.

2) 가 : 왜 전화를 그렇게 오래 했어요? 무슨 일 있어요?

   나 : 아니요. 이 친구랑 .... (-아서/어서) 요즘 고민을 좀 이야기했어요.

3) 가 : 그 친구하고 또 영화관에 가요? 항상 영화만 보러 가니까 친구가 안 좋아할 것 같아요.

   나 : 아니에요. 우리는 .... (-아서/어서) 영화관을 좋아해요.

4) 가 : 안나 씨가 빌려준 볼펜을 잃어버려서 새로 샀는데 괜찮을까요?

   나 : 안나 씨는 .... (-(으)니까) 이해해 줄 거예요.

-기 때문에

1. 빈칸을 채워 보세요.

동사/형용사	-기 때문에	명사	때문에
닫다	닫기 때문에	돈	돈 때문에
좋다		일	
가다		감기	
크다		날씨	
휴일이다		친구	

2. 다음과 같이 대화를 완성해 보세요.

1) 가 : 선생님, 오늘 9과 듣기도 공부해요?

   나 : 남은 시간이 별로 <u>없기 때문에</u> 다음 시간에 할 거예요. (없다)

2) 가 : 주말에 같이 미술관에 갈래요?

   나 : 미안해요. 이번 주말에는 일이 못 가요. (많다)

3) 가 : 내일 비가 등산 모임 시간을 바꾸면 좋겠어요. (오다)

   나 : 네. 회원들에게 바로 이야기해 봐요.

4) 가 : 한국 음식 중에서 못 드시는 음식이 있어요?

   나 : 다른 것은 괜찮은데 김치는 못 먹어요. (맵다)

5) 가 : 안녕하세요? 내일 2시에 예약할 수 있어요?

   나 : 죄송합니다. 그때는 예약이 3시 이후에 됩니다. (끝났다)

6) 가 : 요즘 정말 열심히 공부하네요.

   나 : 네. 성적을 잘 받고 싶어서요. (마지막 학기이다)

7) 가 : 왜 그렇게 얼굴이 안 좋아요?

   나 : 요즘 힘들어요. 요즘 제 전화도 안 받아요. (친구)

1. 그림을 보고 질문의 대답에 √ 표시를 하세요.

1)

가 : 밖에 나오니까 좋아요.

나 : 네. 바람이 (① 시원한데요   ② 시원하는데요).

2)

가 : 하늘이 아주 예뻐요.

나 : 맞아요. 오늘 정말 (① 재미있은데요   ② 재미있는데요)!

3)

가 : 선물을 많이 받았네요.

나 : 네. 정말 (① 행복한데요   ② 행복하은데요).

4)

가 : 얼굴이 왜 그렇게 빨개요?

나 : 이 음식이 너무 (① 맵은데요   ② 매운데요).

---

2. 알맞은 것을 골라 대화를 완성해 보세요.

| 들다 | 왔다 | 끝났다 | 만들었다 |

가 : 여기가 꽃 축제를
하는 곳이에요.

나 : 그런데 사람이 너무
많이 왔는데요.
구경하기 안 좋을
것 같아요.

1) 가 : 이 가방은 어때요? 아까 본 것보다 더 예뻐요.

　　나 : 네. 가격도 아주 싸요. 마음에 ＿＿＿＿＿＿＿＿＿＿

2) 가 : 다 됐어요. 이 빵 한번 드셔 보세요.

　　나 : 와, 진짜 잘 ＿＿＿＿＿＿＿＿＿! 만드는 방법을 배웠어요?

3) 가 : 주노 씨, 오늘 정말 일이 빨리 ＿＿＿＿＿＿＿＿＿!

　　나 : 네. 그래서 빨리 집에 가려고 해요.

만나고 싶은 좋은 사람

1. 다음을 잘 듣고 질문에 답하세요.

1) 다음 달에 결혼하는 사람이 누구예요?

2) 두 사람이 만나고 싶어 하는 사람을 연결해 보세요.

① 재민 •

② 마리 •

• 생각이 깊은 사람
• 취미가 비슷한 사람
• 마음이 잘 맞는 사람
• 말이 잘 통하는 사람

3) 다시 들으면서 빈칸에 알맞은 말을 써 보세요.

마리 : ① _____ 다음 달에 결혼해요.

재민 : 정말요? 좋겠어요. 저도 빨리 좋은 사람을 만나고 싶어요.

마리 : 재민 씨는 어떤 사람을 만나고 싶어요?

재민 : 저는 ② _____ 생각이 깊은 사람을 만나고 싶어요.

그리고 ③ _____ 사람을 만나면 좋겠어요. 마리 씨는요?

마리 : 저는 성격도 중요하지만 ④ _____ 사람을 만나고 싶어요.

그리고 ⑤ _____ 사람이면 좋겠어요.

4) 다시 들으면서 답을 확인해 보세요. 그리고 따라 해 보세요.

---

2. 다음을 잘 듣고 ㅎ을 약하게 발음하는 단어에 모두 √ 표시를 해 보세요. 그리고 따라 해 보세요.

① 결혼　　　　② 은행　　　　③ 전화　　　　④ 하루

⑤ 행복　　　　⑥ 번호　　　　⑦ 공항　　　　⑧ 혼자

소개해 주고 싶은 유리

1. 다음을 잘 읽고 질문에 답하세요.

> 저는 안나 씨에게 중학교 때 친구 유리 씨를 소개해 주고 싶습니다. 안나 씨는 성격이 좋아서 유리 씨하고 잘 맞을 것 같습니다. 그리고 한국 문화와 한국 음식을 좋아해서 유리 씨를 좋아할 겁니다. 유리 씨는 한국 식당의 요리사이기 때문입니다. 두 사람 모두 잘 웃고 마음이 따뜻한 사람이니까 좋은 친구가 될 수 있을 겁니다. 저는 다음 주 학교 친구 모임에 안나 씨를 초대해서 두 사람을 소개해 줄 겁니다. 서로 마음이 잘 맞는 친구가 되면 좋겠습니다.

1) 유리 씨의 직업은 뭐예요?

2) 안나 씨에 대한 설명이 내용과 같으면 ○, 다르면 × 표시를 해 보세요.

① 잘 웃는 사람이에요. ( )
② 성격이 좋은 사람이에요. ( )
③ 한국 음식을 잘 못 먹어요. ( )
④ 글을 쓴 사람과 중학교 때 친구였어요. ( )

3) 읽은 내용과 같은 것을 고르세요.

① 안나 씨와 유리 씨는 서로 잘 아는 친구예요.
② 글을 쓴 사람은 유리 씨를 모임에 초대했어요.
③ 다음 주에 안나 씨의 학교 친구 모임이 있을 거예요.
④ 유리 씨와 안나 씨는 모두 마음이 따뜻한 사람이에요.

좋은 친구를 소개하는 글쓰기

1. 알맞은 표현을 찾아 문장을 완성해 보세요.

| 옷을 만들다 | 처음 만나다 | 취미가 비슷하다 | 사람이 별로 없다 |

1) 저는 _____ (-는/(으)ㄴ) 친구가 별로 없습니다. 그래서 혼자 취미 생활을 합니다.

2) 제 나이의 친구들은 취미로 옷을 만드는 _____

_____. (-기 때문입니다)

3) 저는 그 사람과 _____ (-았지만/었지만) 정말 재미있게 이야기했습니다.

4) 우리는 편한 마음으로 _____ (-는/(으)ㄴ) 이야기를 많이 했습니다.

---

2. 다음 글을 읽고 빈칸에 알맞은 말을 넣어 다시 써 보세요.

> 저는 말이 잘 통하는 친구가 별로 없습니다. 말이 없어서 다른 사람과 잘 이야기하지 않기 때문입니다. 하지만 얼마 전에 한국 음식 축제에서 유진 씨를 처음 만났습니다. 유진 씨는 직접 한국 음식을 만들고 있었습니다. 유진 씨와 처음 만났지만 편한 마음으로 이야기를 많이 했습니다. 학교 이야기도 하고 한국 음식 이야기도 많이 했습니다. 저는 말이 잘 통하는 친구를 만나서 정말 즐거웠습니다.

저는 _____ (취미가 비슷하다) 친구가 별로 없습니다. 제 취미는 옷 만들기인데 옷을 만들러 가면 저보다 나이가 많은 사람들이 _____. (많다) 하지만 얼마 전에 옷 만드는 곳에서 안나 씨를 처음 만났습니다. 안나 씨는 _____

_____. (직접 옷을 만들다) 안나 씨와 처음 만났지만 저와 나이가 비슷해서 편한 마음으로 _____. (옷을 만드는 이야기를 많이 하다) 안나 씨는 필통과 가방을 만든 이야기도 했습니다. 저는 _____

_____ (취미가 비슷한 친구를 만나다) 정말 즐거웠습니다.

특별한 경험

1. 잘 듣고 다음과 같이 써 보세요. 그리고 알맞은 그림을 찾아 연결해 보세요.

1) 산악자전거를 타고 싶어요. •   •

2) _____ •   •

3) _____ •   •

4) _____ •   •

5) _____ •   •

---

2. 알맞은 것을 골라 대화를 완성해 보세요.

| 다른 나라를 방문하다 | 전통 놀이를 체험하다 |
| 유명한 박물관을 찾아가다 | 여러 나라의 동전을 모으다 |

1) 가 : 여행을 가면 꼭 가는 곳이 있어요?

　　나 : 저는 보통 그곳에서 가장 _____. (-아요 / 어요)

2) 가 : 안나 씨, _____? (-(으)ㄴ 적이 있어요)

　　나 : 네. 한국하고 호주에 가 봤어요.

3) 가 : 한복도 입고 _____ (-았는데 / 었는데) 정말 재미있어요.

　　나 : 맞아요. 특히 윷놀이가 정말 재미있어요.

4) 가 : 이게 뭐예요? 다 돈이에요?

　　나 : 네. 저는 _____ (-는) 것이 취미예요.

-는/(으)ㄴ 편이다

1. 빈칸을 채워 보세요.

동사	-는 편이에요	형용사	-은 편이에요	형용사	-ㄴ 편이에요
먹다	먹는 편이에요	넓다	넓은 편이에요	크다	큰 편이에요
웃다		맑다		빠르다	
잘하다		적다		흐리다	
일어나다		★춥다	추운 편이에요	활발하다	
★만들다	만드는 편이에요	★재미없다	재미없는 편이에요	★길다	긴 편이에요

2. 그림을 보고 알맞은 것을 골라 대화를 완성해 보세요.

가다	하다	어렵다	요리하다	청소하다	말이 많다

요리하는 걸 좋아해요?

네. 자주 요리하는 편이에요.

1)

가 : 와, 방이 깨끗하네요.

나 : 요즘 자주 _____.

(-아요/어요)

2)

가 : 오늘도 새벽 운동하러 가요?

나 : 네. 거의 매일 _____. (-아요/어요)

3)

가 : 휴가 때는 보통 뭐 해요?

나 : 해외여행을 _____. (-아요/어요)

4)

가 : 저 사람이 재민 씨 동생이죠? 재미있는 것 같아요.

나 : 네. _____ (-고) 활발한 성격이에요.

5)

가 : 요즘 악기를 만들고 있지요? 어때요?

나 : 조금 _____ (-지만)

재미있어요.

---

1. 다음 중 맞는 것을 골라 √ 표시를 해 보세요.

1) 가 : 오늘은 빨리 도착했네요.

   나 : 네. (① 늦게   ② 늦지 않게) 빨리 일어났어요.

2) 가 : 주노 씨, 모두 (① 이해하지 않게   ② 이해할 수 있게) 다시 설명해 주세요.

   나 : 네. 알겠습니다. 다시 설명해 드릴게요.

3) 가 : 내일 약속을 (① 기억할 수 있게   ② 기억 못 하게) 메모하면 어때요?

   나 : 네. 일이 많아서 걱정인데 잘 메모하고 정리할게요.

4) 가 : 요즘 잠을 잘 못 자요. 어떻게 하면 좋을까요?

   나 : 잠을 (① 안 자게   ② 푹 잘 수 있게) 운동을 매일 해 보세요.

---

2. 알맞은 것을 골라 대화를 완성해 보세요.

찍다	지우다	공부하다	들어오다

1) 가 : 학생들이 조용히 공부하게   핸드폰을 밖에서 사용해 주세요.

   나 : 죄송합니다. 급한 전화였어요. 밖에서 통화하겠습니다.

2) 가 : 사무실이 좀 추운 것 같아요.

   나 : 그럼 바람이 안 .... 창문을 모두 닫을까요?

3) 가 : 마리 씨, 이 글씨를 .... 지우개를 빌려줄 수

       있어요?

   나 : 네. 여기 있어요.

4) 가 : 여러분! 사진을 .... 앞으로 나오세요.

   나 : 행사에 온 사람 모두 앞으로 나갈까요?

새로운 취미 생활

1. 다음을 잘 듣고 질문에 답하세요.

1) 유진 씨는 뭘 알아보고 있어요?

2) 들은 내용과 <u>다른</u> 것을 고르세요.

    ① 유진 씨는 취미로 연기를 배우려고 해요.
    ② 유진 씨는 전부터 연기에 관심이 있었어요.
    ③ 안나 씨와 유진 씨는 같이 연기를 배울 거예요.
    ④ 안나 씨는 유진 씨의 새로운 취미 생활을 좋아해요.

3) 다시 들으면서 빈칸에 알맞은 말을 써 보세요.

안나 : 유진 씨, 뭘 보고 있어요?

유진 : 연기 학교를 ① _____. ② _____

         연기를 꼭 배우고 싶었어요.

안나 : 정말요? 멋져요.

유진 : 저는 조금 ③ _____. 하지만 더 늦으면 못 할 것 같아서요.

안나 : ④ _____. 꼭 시작해 보세요.

유진 : 네. 안나 씨. ⑤ _____ 이번에는 꼭 해 보려고요. 즐거운

        취미 생활이 될 거예요.

4) 다시 들으면서 답을 확인해 보세요. 그리고 따라 해 보세요.

---

2. 잘 듣고 강조해서 말하는 부분에 √ 표시를 해 보세요. 그리고 따라 해 보세요.

1) 예전부터 (① 연기를   ② 꼭   ③ 배우고) 싶었어요.

2) (① 피아노를   ② 정말   ③ 잘) 치네요.

3) 오늘 아침에는 (① 진짜로   ② 빨리   ③ 나왔어요).

4) 어제 (① 백화점에   ② 사람이   ③ 너무) 많았어요.

박물관 취직

1. 다음을 잘 읽고 질문에 답하세요.

> 저는 얼마 전에 박물관에 들어갔습니다. 박물관 직원이 되는 게 쉽지 않았지만 취직할 수 있어서 기뻤습니다. 대학교를 졸업한 후 처음에는 회사에 들어가고 싶어서 준비했습니다. 그런데 몇 년 전에 박물관 행사를 신청해서 체험했는데 그때부터 박물관 일에 관심이 생겼습니다. 박물관에 들어가고 싶어서 외국어도 배우고 박물관에 대해 열심히 공부했습니다. 박물관 행사 체험이 저의 꿈을 바꿨습니다.

1) 이 사람은 어디에 취직했어요?

2) 이 사람에 대한 설명이 내용과 같으면 ○, 다르면 × 표시를 해 보세요.

① 얼마 전에 새로 취직했어요.   (   )
② 전에는 회사원이 되고 싶었어요.   (   )
③ 작년에 박물관 행사에 참여했어요.   (   )
④ 대학교 때부터 박물관 일을 좋아했어요.   (   )

3) 읽은 내용과 <u>다른</u> 것을 고르세요.

① 박물관에 취직하는 것은 어려워요.
② 몇 년 전부터 이 사람의 꿈이 바뀌었어요.
③ 이 사람은 대학교를 졸업한 후 회사에서 일했어요.
④ 이 사람은 박물관에 들어가려고 외국어를 배웠어요.

올해 계획 쓰기

1. 알맞은 표현을 찾아 문장을 완성해 보세요.

살이 많이 찌다	취미를 바꿔 보다
새로운 것을 배우다	친구를 많이 사귈 수 있다

1) 음악만 좋아했습니다. 그런데 올해는 _____. (-(으)려고 합니다)

2) 그동안 한 번도 안 해 본 _____

   _____. (-고 싶기 때문입니다)

3) 요즘 _____ (-아서/어서) 다이어트에 성공하고 싶습니다.

4) 저는 에스엔에스(SNS)를 자주 하니까

   _____. (-(으)ㄹ 겁니다)

2. 다음 글을 읽고 빈칸에 알맞은 말을 넣어 다시 써 보세요.

> 저는 올해 취미를 한번 바꿔 보려고 합니다. 그동안 해 보지 않은 새로운 것을 배우고 싶기 때문입니다. 나만의 책을 한번 만들어 보고 싶습니다. 그리고 아침 운동을 시작하려고 합니다. 요즘 살이 많이 쪄서 다이어트에 성공하고 싶습니다. 마지막으로 저는 한국 친구를 사귀고 싶습니다. 저는 에스엔에스(SNS)를 자주 하니까 한국 친구를 많이 사귈 수 있을 겁니다.

저는 올해 외국 여행을 해 보려고 합니다. 그동안 해외여행을 _____

_____. (한 번도 안 해 보다) 저는 서울에 한번 _____. (가 보다)

그리고 _____. (외국어 공부를 시작하다)

외국어를 _____ (하나도 모르다) 외국어 공부를 열심히 하고

싶습니다. 마지막으로 저는 _____. (좋은 외국 친구를 만들다)

저는 에스엔에스(SNS)를 자주 하니까

_____. (빨리 외국 친구를 사귀다)

변화

1. 잘 듣고 다음과 같이 써 보세요. 그리고 알맞은 것을 찾아 연결해 보세요. 🔊 01

1) ____알아들어요.____ • • 한국 드라마를 이해할 수 있어요.

2) _____ • • 한국 사람처럼 한국어를 말할 수 있어요.

3) _____ • • 한국어로 질문하고 싶은데 하지 못했어요.

4) _____ • • 어릴 때는 키가 작았는데 지금은 키가 커요.

5) _____ • • 의자가 세 개 있는데 사람은 다섯 명이에요.

---

2. 알맞은 것을 골라 대화를 완성해 보세요.

| 부족하다 | 실수하다 | 부끄럽다 | 익숙해지다 |

1) 가 : 발표는 잘 끝났어요?

   나 : 아니요. 발표 자료를 잘못 가져와서 아주 _____. (-았어요 / 었어요)

2) 가 : 한국어 배우는 거 어때요?

   나 : 처음에는 어려웠는데 지금은 많이 _____. (-았어요 / 었어요)

3) 가 : 한국어 시험 준비를 많이 했어요?

   나 : 시간이 _____ (-아서 / 어서) 많이 못 했어요.

4) 가 : 한국어로 이야기할 때 _____ (-(으)ㄴ) _____ 적이 있어요?

   나 : 네. 비자를 '피자'라고 말했어요.

–아 / 어

1. 빈칸을 채워 보세요.

동사/형용사	-아	동사/형용사	-어	동사/형용사	해
같다	같아	먹다	먹어	공부하다	공부해
받다		쉬다		답답하다	
살다		★붓다	부어	부족하다	
좋다		★듣다	들어	사용하다	
사다		★예쁘다	예뻐	행복하다	

2. 다음과 같이 문장을 바꿔 보세요.

1) 가 : 한국 음식을 좋아해요?

   나 : 네. 좋아해요.

   → 가 : 한국 음식을 좋아해 ?

   나 : 응. 좋아해 .

2) 가 : 한국어를 정말 잘하네요.

   나 : 고마워요.

   → 가 : .

   나 : .

3) 가 : 주말에 뭐 했어요?

   나 : 휴가 때 갈 여행지를 알아봤어요.

   → 가 : ?

   나 : .

4) 가 : 공원에 자전거를 타러 갈까요?

   나 : 미안해요. 오후에 약속이 있어요.

   → 가 : ?

   나 : .

5) 가 : 회사 생활은 어때요?

   나 : 처음에는 힘들었지만 지금은 익숙해졌어요.

   → 가 : ?

   나 :

   .

6) 가 : 어디에서 한국어를 공부해요?

   나 : 저는 세종학당에서 한국어를 공부하고 있어요.

   → 가 : ?

   나 :

   .

7) 가 : 유진 씨, 몇 시에 도착해요?

   나 : 미안해요. 차가 막혀서 조금 늦을 것 같아요.

   → 가 : ?

   나 :

   .

에는, 에서는

1. 맞는 것에 ○ 표시를 해 보세요.

1) 가 : 주말에 뭐 할 거예요?

나 : 이번 주말(에는 / 에서는) 산악자전거를 꼭 타 보려고요.

2) 가 : 사진 좀 찍어 주시겠어요?

나 : 여기(에는 / 에서는) 사진을 찍으면 안 돼요.

3) 가 : 여기에서 음식을 먹어도 돼요?

나 : 아니요. 여기(에는 / 에서는) 음식을 먹을 수 없어요.

4) 가 : 밖에 사람이 많네요. 안(에는 / 에서는) 어때요?

나 : 안(에는 / 에서는) 사람이 별로 없어요.

5) 가 : 월요일에도 아르바이트가 있어요?

나 : 아니요. 월요일(에는 / 에서는) 아르바이트가 없어요.

2. 알맞은 것을 골라 대화를 완성해 보세요.

에만	께서도	께서만	에서부터

1) 가 : 고향에 누가 살아요?

나 : 할머니 _____ 살고 계세요.

2) 가 : 졸업식에 부모님도 오세요?

나 : 네. 부모님 _____ 형과 같이 오시기로 했어요.

3) 가 : 여기 _____ 세종학당까지 버스로 얼마나 걸려요?

나 : 십 분쯤 걸릴 것 같아요.

4) 가 : 세종학당에 매일 가요?

나 : 네. 하지만 지난주에는 너무 바빠서 수요일 _____ 갔어요.

나의 변화

02

1. 다음을 잘 듣고 질문에 답하세요.

1) 요즘 안나 씨의 대학 생활은 어때요?

① 답답해요.   ② 익숙해요.

③ 실수를 많이 해요.   ④ 과제가 많아서 힘들어요.

2) 마리 씨는 왜 스트레스를 많이 받아요?

① 일이 많아서   ② 과제가 많아서

③ 시간이 없어서   ④ 대학교에 입학해서

3) 다시 들으면서 빈칸에 알맞은 말을 써 보세요.

마리 : 안나, 요즘 대학 생활은 어때?

안나 : 처음에는 ① _____ 조금 힘들었는데 지금은 ② _____.

　　　마리 넌, 회사 생활은 어때?

마리 : 처음에는 재미있었는데 요즘은 ③ _____ 스트레스를 많이 받아.

　　　그리고 일하면서 실수도 많이 해서 답답해.

안나 : 그랬구나. 나도 처음 대학교에 입학했을 때 ④ _____.

　　　시간이 지나면 ⑤ _____.

마리 : 그렇겠지? 그렇게 말해 줘서 고마워.

4) 다시 들으면서 답을 확인해 보세요. 그리고 따라 해 보세요.

2. 다음을 잘 듣고 다음과 같이 표시해 보세요. 그리고 따라 해 보세요.

03

한국어 공부는 어때? ✓

1) 한국에 가 본 적 있어?   2) 주말에 영화 보러 갈까?

3) 요즘 대학 생활은 어때?   4) 여기에서 음료수를 마셔도 돼?

친구에게

1. 다음을 잘 읽고 질문에 답하세요.

> 민호에게
>
> 민호야, 그동안 잘 지냈어?
>
> 그동안 바빠서 연락하지 못했어. 나는 대학교 수업을 들으면서 세종학당에서 한국어
> 수업을 듣고 있어. 매일 바쁘지만 아주 재미있어.
>
> 너는 어때? 방학 때 가기로 한 해외여행은 잘 다녀왔어?
>
> 나는 너랑 부산 여행을 한 후에 한국이 더 좋아졌어. 그래서 한국어를 더 열심히
> 공부하고 있어.
>
> 이번 방학에도 한국 여행을 하려고 해. 그때 다시 만날 수 있으면 좋겠어.
>
> 언제 시간이 괜찮아? 나한테 꼭 알려 줘.
>
> 답장 기다릴게.
>
> 그럼 잘 지내.
>
>   — 안나가.

1) 안나 씨는 요즘 어떻게 지내요?

  ① 한국 여행을 하고 있어요.
  ② 한국어 시험을 준비하고 있어요.
  ③ 한국에서 한국어를 공부하고 있어요.
  ④ 세종학당에서 한국어를 공부하고 있어요.

2) 안나 씨는 민호 씨에게 왜 편지를 썼어요?

  ① 한국 대학교에 가고 싶어서
  ② 한국에서 다시 만나고 싶어서
  ③ 안나 씨의 고향에 초대하고 싶어서
  ④ 세종학당에서 한국어 수업을 듣고 싶어서

3) 읽은 내용과 같으면 ○, 다르면 × 표시를 해 보세요.

  ① 민호 씨가 안나 씨에게 편지를 썼어요.   (　　　)
  ② 안나 씨는 민호 씨와 여행을 한 후에 한국이 더 좋아졌어요.   (　　　)

친구에게 편지 쓰기

1. 알맞은 표현을 찾아 문장을 완성해 보세요.

| 부산 여행을 하다 | 언제 시간이 되다 | 같이 공부할 수 있다 | 여행 동아리에서 사귀다 |

1) 한국어 공부는 어려웠지만 너랑 .... (-아서/어서) 너무 좋았어.

2) 나는 이번 방학에 .... (-(으)려고 하다) 부산 맛집에 가고 싶어.

3) 너랑 같이 여행을 하고 싶은데 .... ? (-아/어)

4) 주노 씨는 .... (-는/-(으)ㄴ) 친구인데 너랑도 친구가 되면 좋을 것 같아.

---

2. 다음 글을 읽고 빈칸에 알맞은 말을 넣어 다시 써 보세요.

마리에게

마리, 안녕?

지금까지 너랑 같이 한국어를 공부할 수 있어서 정말 좋았어.

나는 이번 방학에 한국 여행을 하려고 해.

너랑 같이 여행을 하고 싶은데 넌 어때? 많이 바쁠 것 같아?

여행을 하면 내 친구 민호도 소개해 주고 싶어. 민호는 내가 한국 여행을 할 때

사귄 친구인데 너랑도 친구가 되면 좋을 것 같아.

그럼 답장 기다릴게.

— 안나가.

마리에게

마리, 안녕?

지금까지 너랑 같이 .... (세종학당에 다니다) 정말 좋았어.

나는 이번 방학에 .... (서울 여행을 하다)

너랑 같이 여행을 하고 싶은데 넌 어때? .... ? (시간이 괜찮다)

여행을 하면 .... (맛집, 알려 주다)

.... (그 식당, 내가 가장 좋아하는 식당, 같이 가다)

그럼 답장 기다릴게.

— 안나가.

희망 사항

1. 잘 듣고 다음과 같이 써 보세요.

저는 유학을 가고 싶어요.

1) 저는 외국 회사에 _____ .

2) 저는 _____

_____

싶어요.

3) 얼마 전에 언니가 _____

_____ .

4) 저는 _____

_____ .

---

2. 알맞은 것을 골라 대화를 완성해 보세요.

| 대학원에 진학하다 | 가게를 열다 | 인터넷 소설을 쓰다 | 취미를 만들다 |

1) 가 : 주말에는 뭐 해요?

　 나 : 얼마 전에 친구가 _____ (-아서 / 어서) 주말마다 거기에서 좀 도와주고 있어요.

2) 가 : 대학 졸업 후에는 뭐 할 거예요?

　 나 : 저는 한국에서 _____ . (-(으)ㄹ 거예요)

　　 경영학 공부를 더 하고 싶어요.

3) 가 : 어디에 가요?

　 나 : 전 요즘 _____ (-기) 시작했어요. 그런데 노트북이

　　 고장나서 고치러 가요.

4) 가 : 마리 씨는 취미가 뭐예요?

　 나 : 취미가 없어서 얼마 전부터 새로운 _____ . (-았어요 / 었어요)

처럼

1. 다음과 같이 문장을 완성해 보세요.

| 저, 새, 날고 싶다 | → 저는 새처럼 날고 싶어요 . |

1) 아이, 인형, 귀엽다 → ....

2) 친구, 천사, 착하다 → ....

3) 이번 겨울, 봄, 따뜻하다 → ....

4) 아버지 마음, 바다, 넓다 → ....

---

2. 다음과 같이 대화를 완성해 보세요.

1) 가 : 안나 씨는 한국어를 잘해요?

   나 : 네. 한국 사람처럼 .... 발음이 좋아요. (한국 사람)

2) 가 : 주노 씨는 더 잘하고 싶은 것이 있어요?

   나 : 네. .... 요리를 잘하고 싶어요. (요리사)

3) 가 : 어떤 선생님이 되고 싶어요?

   나 : 저는 .... 좋은 한국어 선생님이 되고 싶어요. (우리 선생님)

4) 가 : 마리 씨는 어떤 사람이 되고 싶어요?

   나 : .... 다른 사람을 많이 도와주는 사람이 되고 싶어요. (우리 엄마)

5) 가 : 앞으로 어떻게 살고 싶어요?

   나 : .... 하고 싶은 일을 하면서 건강하게 살고 싶어요. (지금)

–게 되다

1. 다음과 같이 문장을 완성해 보세요.

1)
<1년 전>
한국어를 못하다

<1년 후>
한국어를 잘하다

→ 한국어를 잘하게 되었어요   .

2) <1년 전>
수영을 못하다

<1년 후>
수영을 잘하다

→   .

3) <1년 전>
한국 요리를 못하다

<1년 후>
한국 요리를 잘하다

→   .

4) <1년 전>
운전을 못하다

<1년 후>
운전을 잘하다

→   .

5) <1년 전>
처음 여자 친구를 만나다

<1년 후>
결혼을 하다

→   .

2. 다음과 같이 대화를 완성해 보세요.

1) 가 : 마리 씨를 알아요?

나 : 네. 친구가 소개해 줘서 알게 되었어요   .

2) 가 : 어떻게 한국어를 배우게 되었어요?

나 : 한국 가수를 좋아해서 한국어를   .

3) 가 : 언제부터 꽃집을 했어요?

나 : 꽃을 좋아해서 5년 전부터   .

4) 가 : 요즘에도 그 드라마를 봐요?

나 : 네. 드라마가 재미있어서 계속   .

5) 가 : 여기 자주 오네요.

나 : 네. 커피도 맛있고 조용해서 자주   .

앞으로의 계획

1. 다음을 잘 듣고 빈칸에 알맞은 말을 써 보세요.

   1) 남자 : 응. 난 _____ 다음 방학에는 _____. 넌?

   2) 여자 : 난 _____ 영국에 _____.

   3) 여자 : 너 앞으로 _____ 거 _____?

   4) 여자 : 내가 _____ 축구 선수들이 다 영국에 _____.

   5) 남자 : 영국은 _____?

   6) 남자 : _____. 우리 같이 가자.

2. 위에서 들은 문장을 대화 순서대로 써 보세요. 대화를 다시 들으면서 맞는지 확인해 보세요.

3)					6)

3. 들은 내용과 같으면 ○, 다르면 × 표시를 해 보세요.

   1) 여자는 한국에 가고 싶어 해요.   (   )

   2) 남자는 여자와 같이 영국에 가고 싶어 해요.   (   )

4. 다음을 잘 듣고 다음과 같이 표시해 보세요. 그리고 따라 해 보세요.

> 다음 방학에는 한국에
> 가고 싶어.

   1) 난 너처럼 카페를 하고 싶어.

   2) 박물관에서 도장을 만들어 봤어요.

   3) 여기에서 노트북을 사용해도 돼요?

   4) 청바지에다가 티셔츠를 입으려고 해요.

10대로 돌아가면 하고 싶은 것

1. 다음을 잘 읽고 질문에 답하세요.

> 제목: 10대로 돌아가면 무엇을 하고 싶어요?
>
> 조사 대상: 우리 반 친구 15명
>
> 1위: 공부 열심히 하기(학교 공부를 더 열심히 하고 싶어요.)
>
> 2위: 혼자 여행하기(혼자 우리나라를 여행해 보고 싶어요.)
>
> 3위: 좋은 친구 되기(제가 좋은 친구가 되고 싶어요.
>
> 더 많은 시간을 친구들과 보내고 싶어요.)
>
> 4위: 책 많이 읽기(10대가 읽어야 할 책을 꼭 읽고 싶어요.)
>
> 5위: 가족과 시간 보내기(엄마와 친구처럼, 아빠와 친구처럼 대화하고 싶어요.)

1) 위의 내용은 뭘 조사한 거예요?

2) 위의 내용과 같은 것을 고르세요.

① 3위는 혼자 여행하기예요.

② 가족과 시간 보내기는 2위였어요.

③ 공부를 하고 싶어 하는 사람이 제일 많았어요.

④ 책을 많이 읽고 싶어 하는 사람이 제일 적었어요.

3) 읽은 내용과 같으면 ○, 다르면 × 표시를 해 보세요.

① 우리 반 친구들 15명에게 물어봤어요. (   )

② 친구들과 더 많은 시간을 보내고 싶어 하는 학생들은 없었어요. (   )

10대에 하고 싶은 일에 대해 쓰기

1. 알맞은 표현을 찾아 문장을 완성해 보세요.

> 더 빨리 한국어를 잘하게 되다   다른 나라 문화를 이해하다
>
> 언니와 친구처럼 지내다   여행을 가다

1) 어릴 때 한국어를 배우면 _____. (-(으)ㄹ 것 같습니다)
2) 10대로 돌아가면 가족과 _____. (-고 싶습니다)
3) 다른 나라를 여행하면 _____. (-(으)ㄹ 수 있습니다)
4) 저는 언니를 좋아해서 _____. (-습니다 / ㅂ니다)

2. 다음 글을 읽고 빈칸에 알맞은 말을 넣어 다시 써 보세요.

> 저는 10대로 돌아가면 다음과 같은 일을 꼭 하고 싶습니다.
>
> 첫째, 한국어를 배우고 싶습니다. 10대에 한국어를 배우면 지금보다 더 빨리 잘하게 될 것 같습니다.
>
> 둘째, 혼자 여행을 꼭 가고 싶습니다. 혼자 여행 가면 좋은 친구도 만날 수 있고, 혼자 생각을 많이 할 수 있습니다. 여행을 하면 가족이 보고 싶으니까 가족한테도 더 잘할 것 같습니다.
>
> 셋째, 10대로 돌아가면 엄마와 더 친하게 지내고 싶습니다. 엄마는 늘 저와 친구처럼 지내고 싶어 하셨는데 저는 말을 많이 하지 않았습니다. 그런데 지금도 늦지 않았습니다. 지금부터 한국어를 더 열심히 공부하고, 혼자 여행 가고, 엄마와 친구처럼 지내려고 합니다.

저는 10대로 돌아가면 다음과 같은 일을 꼭 하고 싶습니다.

첫째, _____. (외국어를 배우다) 10대에 외국어를 배우면 지금보다 더 빨리 잘하게 될 것 같습니다.

둘째, _____. (가족과 여행을 가다) 가족과 같이 여행을 가면 이야기도 많이 하고 좋은 추억을 만들 수 있을 것 같습니다.

셋째, 10대로 돌아가면 _____. (아버지와 더 친하다) 아버지는 늘 저와 친구처럼 지내고 싶어 하셨는데 저는 말을 많이 하지 않았습니다. 그런데 지금도 늦지 않았습니다. 지금부터 외국어를 더 열심히 공부하고, _____, (가족과 여행 가다) 아버지와 친구처럼 지내려고 합니다.

부록

듣기 지문

2B

01 🔊 이번 주 금요일에 동아리 모임 할래요?

듣고 말하기 | 1번 | 9쪽

다음을 잘 듣고 질문에 답하세요.

유진: 안나 씨, 이번 주에 주노 씨 생일이 있어요. 그래서 일요일에 파티를 하려고 해요. 안나 씨도 올래요?

안나: 네. 그럼요. 우리 같이 준비해요. 유진 씨, 어디에서 파티를 할까요?

유진: 세종 카페 어때요? 모임 할 때 가 봤는데 넓고 좋았어요.

안나: 좋아요. 제가 한번 전화해 볼게요. 음악이나 게임은요?

유진: 게임은 제가 준비해 볼게요. 집에 좀 있어요.

안나: 알겠어요. 그럼 제가 인기 있는 음악을 찾아볼게요.

듣고 말하기 | 2번 | 9쪽

다음을 잘 듣고 받침 'ㄷ, ㅌ, ㅅ, ㅆ, ㅈ, ㅊ, ㅎ'이 'ㄴ' 앞에서 [ㄴ]으로 발음되는 곳을 찾아 ○ 표시를 해 보세요. 그리고 따라 해 보세요.

1) 모임 할 때 가 봤는데 넓고 좋았어요.
2) 시험도 끝났으니까 우리 만날래요?
3) 지금 문을 닫는 사람이 누구예요?
4) 한국에서 불고기를 먹었는데 정말 맛있었어요.

02 🔊 세종학당에서부터 걸어서 10분쯤 걸려요

어휘와 표현 | 1번 | 12쪽

잘 듣고 다음과 같이 써 보세요. 그리고 알맞은 그림을 찾아 연결해 보세요.

1) 사거리가 있어요.
2) 지하도로 내려가요.
3) 육교를 건너요.
4) 횡단보도를 건너요.
5) 신호등이 있어요.

듣고 말하기 | 1번 | 15쪽

다음을 잘 듣고 질문에 답하세요.

안나: 마리 씨, 토요일에 요리 동아리 모임에 갈 거죠?

마리: 네. 세종 카페에서 하죠? 그런데 카페까지 어떻게 가요?

안나: 세종학당에서부터 버스를 타고 가요. 15분쯤 걸려요. 영화관 앞에서 내려서 100m쯤 앞으로 쭉 가면 오른쪽에 세종카페가 있어요.

마리: 그래요? 아, 처음 가 봐서 좀 걱정이에요. 같이 갈 사람이 있으면 좋을 것 같은데 다 바쁠 것 같아요.

안나: 그럼 세종학당에서 1시 반쯤에 만나서 같이 가요.

마리: 정말요? 고마워요. 안나 씨.

듣고 말하기 | 2번 | 15쪽

다음을 잘 듣고 받침 'ㄷ, ㅌ'이 '이'나 '히'를 만나 [ㅈ], [ㅊ]으로 발음되는 곳을 찾아 ○ 표시를 해 보세요. 그리고 따라 해 보세요.

1) 친구하고 학교에 같이 가요.
2) 일이 끝이 없어요.
3) 같이 밥 먹을래요?
4) 수업이 끝이 나면 전화하세요.

03 🔊 할머니께서 직접 만드신 목걸이예요

듣고 말하기 | 1번 | 21쪽

다음을 잘 듣고 질문에 답하세요.

주노: 마리 씨, 안나 씨는 뭘 좋아해요?

마리: 음. 안나 씨는 향수하고 목걸이를 좋아해요. 그런데 왜요?

주노: 아, 작년 크리스마스에 안나 씨가 저에게 선물을 줬어요. 그래서 저도 선물을 하고 싶어서요.

마리: 아, 그래요? 그런데 주노 씨, 저도 선물 줬는데 안나 씨에게만 선물 주는 거예요?

주노: 하하. 마리 씨에게도 주려고 선물을 샀어요. 크리스마스에 줄게요.

다음을 잘 듣고 받침 'ㄱ, ㄲ, ㅋ' 뒤에 연결되는 'ㄱ'이 [ㄲ]으로 발음되는 곳을 찾아 ○ 표시를 해 보세요. 그리고 따라 해 보세요.

1) 목걸이를 좋아해요.
2) 주말에 축구를 해요.
3) 사진을 찍고 싶어요.
4) 점심을 먹고 숙제해요.

04 🔊 세종학당에 오다가 중학교 때 친구를 만났어요

어휘와 표현 | 1번 | 24쪽

잘 듣고 다음과 같이 써 보세요. 그리고 알맞은 그림을 찾아 연결해 보세요.

1) 기분이 좋아요.
2) 기뻐요.
3) 짜증이 나요.
4) 최고예요.
5) 기분이 나빠요.

듣고 말하기 | 1번 | 27쪽

다음을 잘 듣고 질문에 답하세요.

수지: 마리 씨, 오늘 기분이 아주 좋은 것 같아요. 무슨 일 있어요?
마리: 네. 계속 일만 하다가 어제 콘서트에 갔어요.
수지: 와, 정말요? 누구 콘서트에 갔어요?
마리: 유나의 콘서트였어요. 제가 좋아하는 노래를 많이 불러 줬어요.
수지: 우와, 정말 좋았겠어요.

듣고 말하기 | 2번 | 27쪽

다음을 잘 듣고 다음과 같이 억양을 표시해 보세요. 그리고 따라 해 보세요.

중학교 때 친구요?
1) 무슨 일 있어요?
2) 정말요?
3) 어느 가수 콘서트에 갔어요?
4) 친한 친구였어요?

05 🔊 공연 중에 핸드폰을 사용하지 마세요

어휘와 표현 | 1번 | 30쪽

잘 듣고 다음과 같이 써 보세요. 그리고 알맞은 그림을 찾아 연결해 보세요.

1) 노래를 따라서 불러요.
2) 앞자리를 발로 차요.
3) 공연 중간에 나가요.
4) 자리에서 일어나요.
5) 음식을 먹으면서 봐요.

듣고 말하기 | 1번 | 33쪽

다음을 잘 듣고 질문에 답하세요.

안나: 와, 영화관이 정말 좋네요.
재민: 좋지요? 여기 영화표 받으세요.
안나: 고마워요. 저는 한국에서 영화를 보는 것은 처음이에요. 혹시 뭘 조심해야 해요?
재민: 안나 씨 나라 영화관하고 비슷하니까 걱정하지 마세요. 영화를 볼 때 자리를 바꾸지 말고 핸드폰으로 사진을 찍지 마세요.
안나: 네. 알겠어요. 곧 영화가 시작해요. 영화가 재미있으면 좋겠어요.

듣고 말하기 | 2번 | 33쪽

다음을 잘 듣고 다음과 같이 억양을 표시해 보세요. 그리고 따라 해 보세요.

사람이 아주 많네요!
1) 영화관이 정말 좋네요!
2) 극장이 멋있네요!
3) 영화가 아주 재미있네요!
4) 연극 배우가 예쁘네요!

06 🔊 여기에서 노트북을 사용해도 돼요?

듣고 말하기 | 1번 | 39쪽

다음을 잘 듣고 질문에 답하세요.

안녕하세요? 아파트 관리실입니다. 아파트에는 많은 사람들이 살고 있습니다. 편안하고 깨끗한 아파트를 함께 만들어 주세요. 집 안에서 아이들이 너무 뛰어다니면 안 됩니다. 그리고 집 안에서 담배를 피우면 안 됩니다. 아파트 공원에 쓰레기를 버리지 마십시오.

그리고 오늘 오전에 지하 주차장 청소가 끝났습니다. 오후부터 지하 주차장에 주차해도 됩니다. 감사합니다.

다음을 잘 듣고 맞게 발음한 것에 √ 표시를 해 보세요. 그리고 따라 해 보세요.

1) 가 [음뇨수]   나 [음료수]
2) 가 [정리]   나 [정니]
3) 가 [정류장]   나 [정뉴장]
4) 가 [음녁]   나 [음력]

07 🔊 마리 씨한테서 그 친구 이야기를 들었어요

듣고 말하기 │ 1번 │ 45쪽

다음을 잘 듣고 질문에 답하세요.

안나: 며칠 전에 우리 옆집이 새로 이사 왔어요.
유진: 그래요? 안나 씨 옆집에 어떤 사람들이 이사 왔어요?
안나: 엄마한테서 들었는데 근처에 있는 학교 선생님 가족이에요.
　　　딸이 한 명 있는데 저보다 두 살 많아요.
　　　그 언니하고 이야기해 보니까 성격도 좋고 착한 것 같았어요.
유진: 좋은 사람들이 이사 왔네요.

듣고 말하기 │ 2번 │ 45쪽

다음을 잘 듣고 끊어 읽는 부분에 모두 √ 표시를 해 보세요. 그리고 따라 해 보세요.

1) 엄마한테서 들었는데∨근처에 있는∨학교 선생님 가족이에요.
2) 그 언니하고 이야기해 보니까∨성격도 좋고∨착한 것 같았어요.

08 🔊 어렸을 때는 머리가 길었는데 지금은 짧은 머리가 편해요

어휘와 표현 │ 1번 │ 48쪽

잘 듣고 그림에 어울리는 것을 찾아 연결해 보세요.

1) 여섯 살 유진이에요. 유진은 귀엽고 조금 통통했어요. 눈이 크고 안경을 썼어요.
2) 여섯 살 안나예요. 안나는 날씬하고 머리가 길었어요. 다리가 길고 키도 컸어요.
3) 여섯 살 마리예요. 마리는 머리가 짧고 귀여웠어요. 그리고 키가 조금 작았어요.

듣고 말하기 │ 1번 │ 51쪽

다음을 잘 듣고 질문에 답하세요.

유진: 마리 씨, 이거 무슨 사진이에요?
마리: 어릴 때 친구들하고 찍은 사진이에요.
유진: 모두 귀여워요. 마리 씨는 지금하고 외모가 비슷해요.
마리: 네. 어릴 때는 키가 작았는데 지금은 보통이에요.
유진: 마리 씨 옆에 안경을 쓴 아이는 누구예요?

마리: 제 친한 친구예요. 그 옆에 있는 친구하고 작년에 결혼했어요.
　　　친한 친구들이 결혼해서 기분이 좋았어요.

듣고 말하기 │ 2번 │ 51쪽

다음을 잘 듣고 단어에 들어 있는 모음에 √ 표시를 해 보세요. 그리고 따라 해 보세요.

1) 외모
2) 왼쪽
3) 왜요?
4) 귀여워요.

09 🔊 저도 그런 사람을 만나고 싶은데요!

듣고 말하기 │ 1번 │ 57쪽

다음을 잘 듣고 질문에 답하세요.

마리: 제 친한 친구가 다음 달에 결혼해요.
재민: 정말요? 좋겠어요. 저도 빨리 좋은 사람을 만나고 싶어요.
마리: 재민 씨는 어떤 사람을 만나고 싶어요?
재민: 저는 성격이 중요하기 때문에 생각이 깊은 사람을 만나고 싶어요.
　　　그리고 마음이 잘 맞는 사람을 만나면 좋겠어요. 마리 씨는요?
마리: 저는 성격도 중요하지만 취미가 비슷한 사람을 만나고 싶어요.
　　　그리고 말이 잘 통하는 사람이면 좋겠어요.

듣고 말하기 │ 2번 │ 57쪽

다음을 잘 듣고 ㅎ을 약하게 발음하는 단어에 모두 √ 표시를 해 보세요. 그리고 따라 해 보세요.

① 결혼   ② 은행   ③ 전화   ④ 하루
⑤ 행복   ⑥ 번호   ⑦ 공항   ⑧ 혼자

10 🔊 산악자전거는 조금 위험한 편이에요

어휘와 표현 │ 1번 │ 60쪽

잘 듣고 다음과 같이 써 보세요. 그리고 알맞은 그림을 찾아 연결해 보세요.

1) 산악자전거를 타고 싶어요.
2) 해외여행을 하고 싶어요.
3) 전통 춤을 배우고 싶어요.
4) 새벽 운동을 시작하고 싶어요.
5) 나만의 책을 만들고 싶어요.

듣고 말하기 │ 1번 │ 63쪽

다음을 잘 듣고 질문에 답하세요.

안나: 유진 씨, 뭘 보고 있어요?

유진: 연기 학교를 알아보고 있어요. 옛날부터 연기를 꼭 배우고 싶었
어요.

안나: 정말요? 멋져요.

유진: 저는 조금 늦은 편이에요. 하지만 더 늦으면 못 할 것 같아서요.

안나: 아직 늦지 않았어요. 꼭 시작해 보세요.

유진: 네. 안나 씨. 더 늦지 않게 이번에는 꼭 해 보려고요. 즐거운 취미
생활이 될 거예요.

듣고 말하기 | 2번 | 63쪽

잘 듣고 강조해서 말하는 부분에 √ 표시를 해 보세요. 그리고 따라 해
보세요.

1) 예전부터 연기를 꼭 배우고 싶었어요.
2) 피아노를 정말 잘 치네요.
3) 오늘 아침에는 진짜로 빨리 나왔어요.
4) 어제 백화점에 사람이 너무 많았어요.

---

11 🔊 처음에는 모르는 게 많아서 답답했어

어휘와 표현 | 1번 | 66쪽

잘 듣고 다음과 같이 써 보세요. 그리고 알맞은 것을 찾아 연결해 보세요.

1) 알아들어요.
2) 변해요.
3) 잘해요.
4) 부족해요.
5) 답답해요.

듣고 말하기 | 1번 | 69쪽

다음을 잘 듣고 질문에 답하세요.

마리: 안나, 요즘 대학 생활은 어때?

안나: 처음에는 과제가 많아서 조금 힘들었는데 지금은 익숙해졌어.
마리 넌, 회사 생활은 어때?

마리: 처음에는 재미있었는데 요즘은 일이 많아서 스트레스를 많이
받아. 그리고 일하면서 실수도 많이 해서 답답해.

안나: 그랬구나. 나도 처음 대학교에 입학했을 때 실수를 많이 했어.
시간이 지나면 익숙해질 거야.

마리: 그렇겠지? 그렇게 말해 줘서 고마워.

듣고 말하기 | 2번 | 69쪽

다음을 잘 듣고 다음과 같이 표시해 보세요. 그리고 따라 해 보세요.

한국어 공부는 어때?
1) 한국에 가 본 적 있어?
2) 주말에 영화 보러 갈까?

---

3) 요즘 대학 생활은 어때?
4) 여기에서 음료수를 마셔도 돼?

---

12 🔊 난 너처럼 카페를 하고 싶어

어휘와 표현 | 1번 | 72쪽

잘 듣고 다음과 같이 써 보세요.

저는 유학을 가고 싶어요.

1) 저는 외국 회사에 취직할 거예요.
2) 저는 혼자 세계 여행을 하고 싶어요.
3) 얼마 전에 언니가 카페를 열었어요.
4) 저는 외국어를 잘하고 싶어요.

듣고 말하기 | 1번 | 75쪽

다음을 잘 듣고 빈칸에 알맞은 말을 써 보세요.

1) 남자: 응. 난 너처럼 다음 방학에는 한국에 가고 싶어. 넌?
2) 여자: 난 축구를 좋아해서 영국에 가고 싶어.
3) 여자: 너 앞으로 하고 싶은 거 있어?
4) 여자: 내가 좋아하는 축구 선수들이 다 영국에 있어.
5) 남자: 영국은 왜?
6) 남자: 가게 될 거야. 우리 같이 가자.

듣고 말하기 | 2번 | 75쪽

위에서 들은 문장을 대화 순서대로 써 보세요. 대화를 다시 들으면서
맞는지 확인해 보세요.

여자: 너 앞으로 하고 싶은 거 있어?

남자: 응. 난 너처럼 다음 방학에는 한국에 가고 싶어. 넌?

여자: 난 축구를 좋아해서 영국에 가고 싶어.

남자: 영국은 왜?

여자: 내가 좋아하는 축구 선수들이 다 영국에 있어.

남자: 가게 될 거야. 우리 같이 가자.

듣고 말하기 | 4번 | 75쪽

다음을 잘 듣고 다음과 같이 표시해 보세요. 그리고 따라 해 보세요.

다음 방학에는 한국에 가고 싶어.
1) 난 너처럼 카페를 하고 싶어.
2) 박물관에서 도장을 만들어 봤어요.
3) 여기에서 노트북을 사용해도 돼요?
4) 청바지에다가 티셔츠를 입으려고 해요.

모범 답안 2B

동사	-을래요?	동사	-ㄹ래요?
먹다	먹을래요?	가다	갈래요?
앉다	앉을래요?	오다	올래요?
읽다	읽을래요?	마시다	마실래요?
찍다	찍을래요?	운동하다	운동할래요?
★듣다	들을래요?	★만들다	만들래요?

문법 1 | 2번 | 7쪽

1) 쇼핑할래요
2) 갈래요
3) 들어 볼래요, 들어 볼래요
4) 먹을래요, 먹을래요
5) 볼래요
6) 수영할래요

문법 2 | 1번 | 8쪽

동사	-을게요	동사	-ㄹ게요
먹다	먹을게요	가다	갈게요
읽다	읽을게요	보다	볼게요
찍다	찍을게요	마시다	마실게요
찾다	찾을게요	공부하다	공부할게요
★듣다	들을게요	★만들다	만들게요

문법 2 | 2번 | 8쪽

[예시]
2) 연락할게요
3) 예약할게요
4) 공부할게요
5) 찍을게요
6) 올게요
7) 만들게요

듣고 말하기 | 1번 | 9쪽

1) ②
2) ① ○
   ② ○
   ③ ✕
3) ① 생일이 있어요
   ② 일요일에
   ③ 전화해 볼게요
   ④ 게임은 제가 준비해 볼게요
   ⑤ 인기 있는 음악을 찾아볼게요

---

01 이번 주 금요일에 동아리 모임 할래요?

어휘와 표현 | 1번 | 6쪽

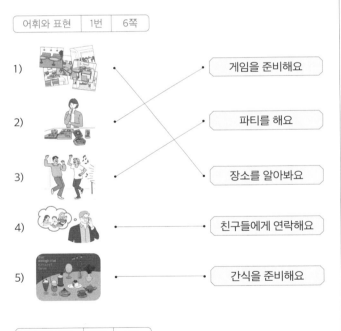

1)		게임을 준비해요
2)		파티를 해요
3)		장소를 알아봐요
4)		친구들에게 연락해요
5)		간식을 준비해요

어휘와 표현 | 2번 | 6쪽

1) 친구들의 취향을 물어보는
2) 모임을 하면
3) 인기 있는 음악을 찾아보고 있어요
4) 장소를 결정했어요

| 듣고 말하기 | 2번 | 9쪽 |

1) 모임 할 때 가 봤 는데 넓고 좋았어요.
2) 시험도 끝 났으니까 우리 만날래요?
3) 지금 문을 닫 는 사람이 누구예요?
4) 한국에서 불고기를 먹었 는데 정말 맛있었어요.

| 읽기 | 1번 | 10쪽 |

1) ②
2) ②
3) ① ○
　　 ② ×

| 쓰기 | 1번 | 11쪽 |

1) 모임을 하기로 했어요
2) 친구를 초대할 거예요
3) 간식을 준비했어요
4) 게임을 준비했어요

| 쓰기 | 2번 | 11쪽 |

유진 씨, 안녕하세요? 마리예요.

유진 씨, 다음 주말에 우리 케이팝(K-POP) 동아리에서 모임을 하기로 했어요. 이번에는 유명한 춤 선생님을 초대했어요! 인기 있는 케이팝(K-POP) 춤을 같이 배워 볼 거예요. 세종학당 친구들을 모두 초대하려고 해요. 유진 씨도 함께 할래요?

장소는 학교 근처 하나카페고 시간은 일요일 2시예요. 친구들과 함께 먹으려고 맛있는 간식도 준비했어요. 그리고 재미있는 케이팝 퀴즈 게임도 준비했어요.

유진 씨도 오면 좋을 것 같은데 올 수 있어요? 답장 주세요. 기다릴게요.
마리가

---

02 세종학당에서부터 걸어서 10분쯤 걸려요

| 어휘와 표현 | 1번 | 12쪽 |

1)　사거리가 있어요.
2) 지하도로 내려가요.
3)　육교를 건너요.
4) 횡단보도를 건너요.
5)　신호등이 있어요.

| 어휘와 표현 | 2번 | 12쪽 |

1) 걸어와요
2) 앞으로 쭉 가세요
3) 왼쪽으로 돌아가면
4) 오른쪽으로 돌아가세요

| 문법 1 | 1번 | 13쪽 |

2) 회사에서부터 집까지
3) 학교에서부터 공항까지
4) 수영장에서부터 영화관까지
5) 집에서부터 학교까지

| 문법 1 | 2번 | 13쪽 |

1) 뉴욕에서부터 한국까지 비행기로 14시간쯤 걸려요
2) 방콕에서부터 한국까지 비행기로 6시간쯤 걸려요
3) 도쿄에서부터 한국까지 비행기로 2시간 30분쯤 걸려요
4) 파리에서부터 한국까지 비행기로 13시간쯤 걸려요

| 문법 2 | 1번 | 14쪽 |

동사	-을	동사	-ㄹ
먹다	먹을	가다	갈
앉다	앉을	보다	볼
읽다	읽을	마시다	마실
입다	입을	공부하다	공부할
★듣다	들을	★만들다	만들

1) 줄 선물 (이에요)/예요

2) 공부할 책 (이에요)/예요

3) 만들 음식 (이)/가

4) 볼 영화표을/(를)

5) 들을 음악 (을)/를

1) ④

2) ① ○

　② ×

　③ ×

3) ① 토요일에 요리 동아리

　② 세종학당에서부터 버스를 타고 가요

　③ 앞으로 쭉 가면

　④ 같이 갈 사람이

　⑤ 만나서 같이 가요

1) 친구하고 학교에 (같이) 가요.

2) 일이 (끝이) 없어요.

3) (같이) 밥 먹을래요?

4) 수업이 (끝이) 나면 전화하세요.

1) ②

2) ②, ⑤, ①, ④, ③

3) ① ×

　② ○

1) 내리세요

2) 사거리가 있어요

3) 오른쪽으로 돌아가세요

4) 횡단보도를 건너세요

　주노 씨, 내일 2시에 우리 집에서 같이 영화를 보기로 했죠? 내일 볼 영화와 간식은 제가 준비했어요 그런데 제가 내일 잠깐 병원에 가야 해서 세종학당에서부터 같이 올 수 없어요. 그래서 우리 집에 오는 길을 보내요.

　먼저 세종학당 앞에서 11번 버스를 타세요 그리고 공원 앞 정류장에서 내리세요. 정류장에서 왼쪽으로 좀 가면 사거리가 있어요. 사거리에서 왼쪽으로 돌아가면 횡단보도가 나와요. 그 횡단보도를 건너면 우리 집이 있어요. 내일 만나요.

03 ✎　할머니께서 직접 만드신 목걸이예요

1) 넥타이

2) 노트북

3) 목걸이

4) 향수

1) 선물 받았어요

2) 포장을 풀어 보세요

3) 선물을 고르고 있어요

4) 선물하려고요

동사/형용사	-으세요	동사/형용사	-세요
읽다	읽으세요	가다	가세요
입다	입으세요	보다	보세요
많다	많으세요	좋아하다	좋아하세요
재미있다	재미있으세요	바쁘다	바쁘세요
★듣다	들으세요	친절하다	친절하세요

1) 어머니께서 영어를 가르치세요

2) 할머니께서 운동을 좋아하세요

3) 할아버지께서 책을 읽으세요

4) 아버지께서 친구가 많으세요

5) 어머니께서 밥을 드세요

6) 할아버지께서 댁에서 주무시고 계세요

2) 에게만

3) 에게도

4) 에게만

5) 에게도

2) 주노 씨에게만

3) 수지 씨에게도

4) 마리 씨에게만

5) 마리 씨에게도

듣고 말하기 | 1번 | 21쪽

1) ④

2) ① ○

   ② ✕

   ③ ✕

3) ① 향수하고 목걸이를

   ② 저에게 선물을 줬어요

   ③ 선물을 하고 싶어서요

   ④ 선물 줬는데 안나 씨에게만

   ⑤ 마리 씨에게도 주려고

듣고 말하기 | 2번 | 21쪽

1) 목걸이를 좋아해요.

2) 주말에 축구를 해요.

3) 사진을 찍고 싶어요.

4) 점심을 먹고 숙제해요.

읽기 | 1번 | 22쪽

1) ④

2) ②

3) ① ○

   ② ✕

쓰기 | 1번 | 23쪽

1) 소중한

2) 선물을 주려고 해요

3) 선물을 받았어요

4) 선물을 꺼내 보고

쓰기 | 2번 | 24쪽

　이번 주 일요일은 저에게 가장 소중한 친구의 생일이에요. 그래서 친구에게 선물을 주려고 해요. 이 친구는 저에게 어려운 일이 있을 때 항상 도와준 고마운 친구예요. 작년 제 생일에 이 친구에게 목도리 선물을 받았어요. 그 목도리는 친구가 직접 만든 것이었는데 정말 따뜻하고 좋았어요. 그래서 친구에게도 멋진 선물을 하고 싶어요. 제 친구는 목걸이를 좋아해요. 친구에게 어울리는 목걸이를 주고 싶어서 요즘 목걸이 만드는 것을 배우고 있어요. 친구가 선물을 꺼내 보고 마음에 들어 했으면 좋겠어요.

04 🖊 세종학당에 오다가 중학교 때 친구를 만났어요

어휘와 표현 | 1번 | 24쪽

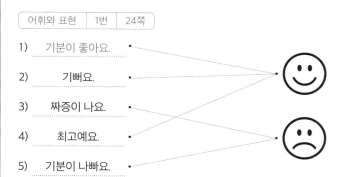

1)   기분이 좋아요. •

2)   기뻐요. •

3)   짜증이 나요. •

4)   최고예요. •

5)   기분이 나빠요. •

어휘와 표현 | 2번 | 24쪽

1) 지루해요

2) 힘들어요

3) 걱정이 많아요

4) 신나요

문법 1 | 1번 | 25쪽

1) 밥을 먹다가

2) 비가 오다가

3) 걸어서 가다가

4) 아르바이트를 하다가

문법 1 | 2번 | 25쪽

1) 앞으로 쭉 가다가 좌회전하세요

2) 김밥을 만들다가 실패했어요

3) 청소하다가 소파 아래에서 찾았어요

4) 사진을 찍다가 유진 씨를 만났어요

문법 2 | 1번 | 26쪽

동사	-아 주다	동사	-어 주다	동사	-해 주다
놀다	놀아 주다	열다	열어 주다	말하다	말해 주다
닫다	닫아 주다	빌리다	빌려 주다	예약하다	예약해 주다
사다	사 주다	가르치다	가르쳐 주다	전화하다	전화해 주다
만나다	만나 주다	★듣다	들어 주다	축하하다	축하해 주다
★돕다	도와 주다	★짓다	지어 주다	이야기하다	이야기해 주다

문법 2 | 2번 | 26쪽

2) 문을 닫아 주세요

3) 말해 주세요

4) 만들어 줬어요

5) 들어 주세요

6) 켜 주세요

7) 전화해 주세요

듣고 말하기 | 1번 | 27쪽

1) ③

2) ④

3) ① 좋은 것 같아요

   ② 일만 하다가

   ③ 누구

   ④ 불러 줬어요

   ⑤ 좋았겠어요

듣고 말하기 | 2번 | 27쪽

1) 무슨 일 있어요?

2) 정말요?

3) 어느 가수 콘서트에 갔어요?

4) 친한 친구였어요?

읽기 | 1번 | 28쪽

1) ③

2) ④

3) ① ✕

   ② ✕

쓰기 | 1번 | 29쪽

1) 회사에 다닐 때

2) 출퇴근하면서

3) 다른 도시로 이사 간 후에

4) 오랜만에 만나면

쓰기 | 2번 | 29쪽

　오늘 아침에 공원에서 오랜만에 미나 씨를 만났습니다. 그래서 아침부터 기분이 아주 좋았습니다. 미나 씨는 제가 대학교에 다닐 때 만난 친구입니다. 우리는 같은 수업을 들으면서 친한 친구가 되었습니다. 제가 대학교에 다닐 때 걱정이 많았지만 미나 씨가 많이 도와줬습니다. 저에게 새로운 곳을 소개해 줘서 대학 생활이 재미있었습니다. 하지만 아르바이트를 시작한 후에 미나 씨를 자주 못 봤습니다. 그동안 미나 씨와 연락을 못 했는데 오랜만에 만나서 정말 즐거웠습니다.

05 ✏️ 공연 중에 핸드폰을 사용하지 마세요

어휘와 표현 | 1번 | 30쪽

1)　노래를 따라서 불러요.　•

2)　앞자리를 발로 차요.　•

3)　공연 중간에 나가요.　•

4)　자리에서 일어나요.　•

5)　음식을 먹으면서 봐요.　•

어휘와 표현 | 2번 | 30쪽

2) 친구와 떠들고 있어요

3) 핸드폰으로 사진을 찍고 있어요

4) 자리를 바꾸고 있어요

5) 박수를 치고 있어요

문법 1 | 1번 | 31쪽

2) 비싸네요

3) 먹네요

4) 춥네요

5) 기네요

문법 1 | 2번 | 31쪽

1) 맛있네요

2) 머네요

3) 예쁘네요

4) 무겁네요

문법 2 | 1번 | 32쪽

2) 담배를 피우지 마세요

3) 친구와 떠들지 마세요

4) 사진을 찍지 마세요

5) 앞자리를 발로 차지 마세요

| 문법 2 | 2번 | 32쪽 |

1) 보지 마세요
2) 만들지 마세요
3) 영어로 이야기하지 마세요
4) 두꺼운 옷을 입지 마세요

| 듣고 말하기 | 1번 | 33쪽 |

1) ③
2) ③
3) ① 좋네요
　② 영화표
　③ 바꾸지 말고
　④ 사진을 찍지 마세요
　⑤ 재미있으면 좋겠어요

| 듣고 말하기 | 2번 | 33쪽 |

1) 영화관이 정말 좋네요!
2) 극장이 멋있네요!
3) 영화가 아주 재미있네요!
4) 연극 배우가 예쁘네요!

| 읽기 | 1번 | 34쪽 |

1) ①
2) ①, ③
3) ① ○
　② ✕

| 쓰기 | 1번 | 35쪽 |

1) 공연장에 들어와 주세요
2) 공연이 시작하기 전에
3) 자리에서 일어나지 마세요
4) 박수를 쳐 주세요

| 쓰기 | 2번 | 35쪽 |

　먼저 연극 시작 15분 전까지 자리에 앉아 주세요. 연극이 시작되면 핸드폰으로 사진을 찍지 마세요. 공연장 밖에서 사진을 찍으세요. 그리고 연극을 보다가 앞자리를 발로 차지 마세요. 앞에 앉은 사람들이 연극을 볼 수 없어요. 전화는 극장 안에서 받지 말고 극장 밖에서 받아 주세요. 그럼 모두 연극 관람 예절을 잘 지켜 주세요. 감사합니다.

06 여기에서 노트북을 사용해도 돼요?

| 어휘와 표현 | 1번 | 36쪽 |

1) 　쓰레기를 버려요.
2) 　여기저기 뛰어요.
3) 큰 소리로 노래를 들어요.
4) 　안전선을 넘어요.
5) 　줄을 서서 기다려요.

| 어휘와 표현 | 2번 | 36쪽 |

1) 규칙을 잘 지키네요
2) 다른 사람을 밀지 마세요
3) 시끄럽게 통화하고 있어요
4) 천천히 타세요

| 문법 1 | 1번 | 37쪽 |

동사	-아도 돼요	동사	-어도 돼요	동사	해도 돼요
받다	받아도 돼요	먹다	먹어도 돼요	사용하다	사용해도 돼요
가다	가도 돼요	만들다	만들어도 돼요	요리하다	요리해도 돼요
보다	봐도 돼요	주다	줘도 돼요	전화하다	전화해도 돼요
타다	타도 돼요	버리다	버려도 돼요	퇴근하다	퇴근해도 돼요
만나다	만나도 돼요	★듣다	들어도 돼요	이야기하다	이야기해도 돼요

| 문법 1 | 2번 | 37쪽 |

2) 텔레비전을 봐도 돼요, 봐도 돼요
3) 오늘 조금 늦게 가도 돼요
4) 집에 놀러 가도 돼요
5) 사진을 찍어도 돼요
6) 친구와 이야기해도 돼요

7) 이 자리에 앉아도 돼요, 앉아도 돼요

문법 2 | 1번 | 38쪽

동사	-으면 안 돼요	동사	-면 안 돼요
늦다	늦으면 안 돼요	자다	자면 안 돼요
먹다	먹으면 안 돼요	마시다	마시면 안 돼요
입다	입으면 안 돼요	말하다	말하면 안 돼요
찍다	찍으면 안 돼요	들어가다	들어가면 안 돼요
★듣다	들으면 안 돼요	만들다	만들면 안 돼요

문법 2 | 2번 | 38쪽

1) 사진을 찍으면 안 돼요
2) 자전거를 타면 안 돼요
3) 담배를 피우면 안 돼요
4) 쓰레기를 버리면 안 돼요
5) 전화를 하면 안 돼요
6) 뛰면/뛰어다니면 안 돼요
7) 음식을 먹으면 안 돼요

듣고 말하기 | 1번 | 39쪽

1) 아파트 관리실
2) ③
3) ① 뛰어다니면 안 됩니다
   ② 담배를 피우면 안 됩니다
   ③ 쓰레기를 버리지 마십시오
   ④ 청소가 끝났습니다
   ⑤ 주차해도 됩니다

듣고 말하기 | 2번 | 39쪽

1) 가
2) 나
3) 나
4) 가

읽기 | 1번 | 40쪽

1) ①
2) ①, ④
3) ① ○
   ② ✕

쓰기 | 1번 | 41쪽

1) 소개하고 싶습니다
2) 다른 사람을 밀면 안 됩니다

3) 물이나 음료수를 마실 수 있습니다
4) 아주 편리합니다

쓰기 | 2번 | 41쪽

저는 한국의 교통을 소개하고 싶습니다. 한국 사람들은 버스와 지하철을 자주 이용합니다. 한국 버스는 요금이 싸고 안전하지만 탈 때 뛰거나 빨리 타면 안 됩니다. 버스 안에는 몸이 아픈 사람이나 연세가 많은 분들이 앉는 자리가 있습니다. 버스 안에서는 음식이나 음료수를 마실 수 없습니다. 교통 카드로 버스를 탄 후에 지하철로 갈아타면 할인을 받을 수 있습니다. 한국 버스는 깨끗하고 편리합니다.

07 마리 씨한테서 그 친구 이야기를 들었어요

어휘와 표현 | 1번 | 42쪽

2) 저는 성격이 밝아요.
3) 저는 성격이 착해요.
4) 저는 성격이 조용해요.
5) 저는 게을러요.

어휘와 표현 | 2번 | 42쪽

1) 말이 많은
2) 부지런한
3) 성격이 재미있는
4) 활발한

문법 1 | 1번 | 43쪽

1) ①
2) ①
3) ②
4) ②

문법 1 | 2번 | 43쪽

2) 주노 씨한테서 들었어요
3) 유진 씨한테서 도움을 받았어요
4) 김 선생님께 배웠어요
5) 학교에서 메일이 왔어요

문법 2 | 1번 | 44쪽

동사	-으니까	동사	-니까
먹다	먹으니까	끝내다	끝내니까
받다	받으니까	만나다	만나니까
읽다	읽으니까	들어가다	들어가니까
입다	입으니까	도착하다	도착하니까
★듣다	들으니까	★열다	여니까

문법 2 | 2번 | 44쪽

1) 지나니까
2) 들어오니까
3) 시작되니까
4) 여니까
5) 가니까

듣고 말하기 | 1번 | 45쪽

1) 며칠 전에 이사 왔어요.
2) ④
3) ① 며칠 전에
   ② 엄마한테서
   ③ 두 살 많아요
   ④ 이야기해 보니까

듣고 말하기 | 2번 | 45쪽

1) 엄마한테서 (   ) 들었는데 (✓) 근처에 (   )
   있는 (✓) 학교 (   ) 선생님 (   ) 가족이에요.
2) 그 (   ) 언니하고 (   ) 이야기해 보니까 (✓)
   성격도 (   ) 좋고 (✓) 착한 (   ) 것 (   )
   같았어요.

읽기 | 1번 | 46쪽

1) ① ○
   ② ○
   ③ ✕

2) ① 과일을 고른 사람 • — • 활발해요.
   • 게을러요.
   ② 채소를 고른 사람 • — • 부지런해요.
   • 말이 적어요.
   ③ 고기를 고른 사람 • — • 성격이 급해요.
   • 성격이 밝아요.
   ④ 생선을 고른 사람 • — • 성격이 착해요.
   • 마음이 따뜻해요.

쓰기 | 1번 | 47쪽

1) 우리 반 선생님을
2) 지난달에
3) 성격이 좋고
4) 많이 도와주셔서
5) 케이팝(K-POP)을 듣는

쓰기 | 2번 | 47쪽

저는 우리 반 박 선생님을 소개하고 싶습니다. 저는 몇 달 전에 세종학당에서 선생님을 처음 만났습니다. 선생님은 머리가 길고 예쁩니다. 그리고 선생님은 성격이 밝고 착한 분입니다. 학생들의 이야기를 많이 들어 주셔서 인기도 많습니다. 선생님은 빵을 만드는 것을 좋아해서 가끔 수업 시간에 맛있는 빵을 가져옵니다. 박 선생님은 한국어도 잘 가르쳐 주고 좋은 분입니다.

08 ✏️ 어렸을 때는 머리가 길었는데 지금은 짧은 머리가 편해요

어휘와 표현 | 1번 | 48쪽

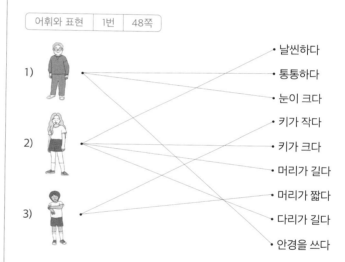

• 날씬하다
• 통통하다
• 눈이 크다
• 키가 작다
• 키가 크다
• 머리가 길다
• 머리가 짧다
• 다리가 길다
• 안경을 쓰다

어휘와 표현 | 2번 | 48쪽

1) 마른 것 같아요
2) 키가 보통이니까
3) 잘생겼지요
4) 입이 커서

| 문법 1 | 1번 | 49쪽 |

동사	-는데	형용사	-은데	형용사	-ㄴ데
먹다	먹는데	넓다	넓은데	크다	큰데
읽다	읽는데	많다	많은데	비싸다	비싼데
가다	가는데	짧다	짧은데	아니다	아닌데
일하다	일하는데	★덥다	더운데	날씬하다	날씬한데
★만들다	만드는데	★맛있다	맛있는데	★길다	긴데

| 문법 1 | 2번 | 49쪽 |

1) 있는데, 없어요
2) 추운데, 더워요
3) 공부하는데, 놀아요
4) 잘 먹는데, 못 먹어요
5) 싫어했는데, 자주 마셔요
6) 괜찮은데, 바빠요

| 문법 2 | 1번 | 50쪽 |

1) ②
2) ②
3) ②
4) ①

| 문법 2 | 2번 | 50쪽 |

1) 2권밖에
2) 3명밖에
3) 1,000원밖에

| 듣고 말하기 | 1번 | 51쪽 |

1) 어릴 때 친구들하고 찍은 사진
2) ④
3) ① 외모가 비슷해요
   ② 작았는데
   ③ 안경을 쓴 아이는
   ④ 작년에 결혼했어요
   ⑤ 기분이 좋았어요

| 듣고 말하기 | 2번 | 51쪽 |

1) ①
2) ②
3) ②
4) ②

| 읽기 | 1번 | 52쪽 |

1) 급한 일이 생겨서
2) ③
3) ③

| 쓰기 | 1번 | 53쪽 |

1) 두 명 있습니다
2) 게임밖에 모르는
3) 게임 회사에서 일하고 싶었습니다
4) 날씬했는데

| 쓰기 | 2번 | 53쪽 |

　저는 누나 한 명, 형 두 명이 있습니다. 저와 누나는 어렸을 때 게임밖에 모르는 아이들이었습니다. 수업이 끝나면 하루 종일 같이 게임을 했습니다. 우리는 커서 게임 회사에서 일하고 싶었습니다. 하지만 누나는 의사가 되었고 저는 기자가 되었습니다. 어렸을 때 누나는 저보다 키가 크고 운동도 잘하고 게임도 잘했습니다. 저는 어렸을 때 날씬했는데 지금은 살이 쪄서 조금 통통합니다. 저는 지금도 게임을 좋아하는데 누나는 일밖에 모릅니다.

09 저도 그런 사람을 만나고 싶은데요!

| 어휘와 표현 | 1번 | 54쪽 |

2) 잘 웃는 사람
3) 마음이 따뜻한 사람
4) 생각이 깊은 사람
5) 성격이 편안한 사람

| 어휘와 표현 | 2번 | 54쪽 |

1) 인사를 잘하네요
2) 말이 잘 통해서
3) 취미가 비슷해서
4) 마음이 넓으니까

| 문법 1 | 1번 | 55쪽 |

동사/형용사	-기 때문에	명사	때문에
닫다	닫기 때문에	돈	돈 때문에
좋다	좋기 때문에	일	일 때문에
가다	가기 때문에	감기	감기 때문에
크다	크기 때문에	날씨	날씨 때문에
휴일이다	휴일이기 때문에	친구	친구 때문에

2) 많기 때문에

3) 오기 때문에

4) 맵기 때문에

5) 끝났기 때문에

6) 마지막 학기이기 때문에

7) 친구 때문에

1) ①

2) ②

3) ①

4) ②

문법 2 | 2번 | 56쪽

1) 드는데요

2) 만들었는데요

3) 끝났는데요

듣고 말하기 | 1번 | 57쪽

1) 마리의 친한 친구

2) ① 재민 • 　• 생각이 깊은 사람
　　　　　　　• 취미가 비슷한 사람
　② 마리 • 　• 마음이 잘 맞는 사람
　　　　　　　• 말이 잘 통하는 사람

3) ① 제 친한 친구가
　② 성격이 중요하기 때문에
　③ 마음이 잘 맞는
　④ 취미가 비슷한
　⑤ 말이 잘 통하는

듣고 말하기 | 2번 | 57쪽

①, ②, ③, ⑥, ⑦

1) (한국 식당의) 요리사

2) ① ○
　② ○
　③ ×
　④ ×

3) ④

쓰기 | 1번 | 59쪽

1) 취미가 비슷한

2) 사람이 별로 없기 때문입니다

3) 처음 만났지만

4) 옷을 만드는

쓰기 | 2번 | 59쪽

　저는 취미가 비슷한 친구가 별로 없습니다. 제 취미는 옷 만들기인데 옷을 만들러 가면 저보다 나이가 많은 사람들이 많기 때문입니다. 하지만 얼마 전에 옷 만드는 곳에서 안나 씨를 처음 만났습니다. 안나 씨는 직접 옷을 만들고 있었습니다. 안나 씨와 처음 만났지만 저와 나이가 비슷해서 편한 마음으로 옷을 만드는 이야기를 많이 했습니다. 안나 씨는 필통과 가방을 만든 이야기도 했습니다. 저는 취미가 비슷한 친구를 만나서 정말 즐거웠습니다.

10 🖉　산악자전거는 조금 위험한 편이에요

어휘와 표현 | 1번 | 60쪽

1)　산악자전거를 타고 싶어요.

2)　해외여행을 하고 싶어요.

3)　전통 춤을 배우고 싶어요.

4) 새벽 운동을 시작하고 싶어요.

5)　나만의 책을 만들고 싶어요.

어휘와 표현 | 2번 | 60쪽

1) 유명한 박물관을 찾아가요

2) 다른 나라를 방문한 적이 있어요

3) 전통 놀이를 체험했는데

4) 여러 나라의 동전을 모으는

문법 1 | 1번 | 61쪽

동사	-는 편이에요	형용사	-은 편이에요	형용사	-ㄴ 편이에요
먹다	먹는 편이에요	넓다	넓은 편이에요	크다	큰 편이에요
웃다	웃는 편이에요	맑다	맑은 편이에요	빠르다	빠른 편이에요
잘하다	잘하는 편이에요	적다	적은 편이에요	흐리다	흐린 편이에요
일어나다	일어나는 편이에요	★춥다	추운 편이에요	활발하다	활발한 편이에요
★만들다	만드는 편이에요	★재미없다	재미없는 편이에요	★길다	긴 편이에요

문법 1 | 2번 | 61쪽

1) 청소하는 편이에요
2) 하는 편이에요
3) 가는 편이에요
4) 말이 많은 편이고
5) 어려운 편이지만

문법 2 | 1번 | 62쪽

1) ②
2) ②
3) ①
4) ②

문법 2 | 2번 | 62쪽

2) 들어오게
3) 지우게
4) 찍게

듣고 말하기 | 1번 | 63쪽

1) 연기 학교
2) ③
3) ① 알아보고 있어요
   ② 옛날부터
   ③ 늦은 편이에요
   ④ 아직 늦지 않았어요
   ⑤ 더 늦지 않게

듣고 말하기 | 2번 | 63쪽

1) ②
2) ②
3) ①

4) ③

읽기 | 1번 | 64쪽

1) 박물관에 취직했어요.
2) ① ○
   ② ○
   ③ ×
   ④ ×
3) ③

쓰기 | 1번 | 65쪽

1) 취미를 바꿔 보려고 합니다
2) 새로운 것을 배우고 싶기 때문입니다
3) 살이 많이 쪄서
4) 친구를 많이 사귈 수 있을 겁니다

쓰기 | 2번 | 65쪽

　　저는 올해 외국 여행을 해 보려고 합니다. 그동안 해외여행을 한 번도 안 해 봤기 때문입니다. 저는 서울에 한번 가 보고 싶습니다. 그리고 외국어 공부를 시작하려고 합니다. 외국어를 하나도 몰라서 외국어 공부를 열심히 하고 싶습니다. 마지막으로 저는 좋은 외국 친구를 만들고 싶습니다. 저는 에스엔에스(SNS)를 자주 하니까 빨리 외국 친구를 사귈 수 있을 겁니다.

11 📝 처음에는 모르는 게 많아서 답답했어

어휘와 표현 | 1번 | 66쪽

1) 알아들어요.
2) 변해요.
3) 잘해요.
4) 부족해요.
5) 답답해요.

- 한국 드라마를 이해할 수 있어요.
- 한국 사람처럼 한국어를 말할 수 있어요.
- 한국어로 질문하고 싶은데 하지 못했어요.
- 어릴 때는 키가 작았는데 지금은 키가 커요.
- 의자가 세 개 있는데 사람은 다섯 명이에요.

어휘와 표현 | 2번 | 66쪽

1) 부끄러웠어요
2) 익숙해졌어요
3) 부족해서
4) 실수한 적이 있어요

동사/형용사	-아	동사/형용사	-어	동사/형용사	해
같다	같아	먹다	먹어	공부하다	공부해
받다	받아	쉬다	쉬어	답답하다	답답해
살다	살아	★붓다	부어	부족하다	부족해
좋다	좋아	★듣다	들어	사용하다	사용해
사다	사	★예쁘다	예뻐	행복하다	행복해

문법 1　2번　67쪽

2) 가: 한국어를 정말 잘하네

　나: 고마워

3) 가: 주말에 뭐 했어

　나: 휴가 때 갈 여행지를 알아봤어

4) 가: 공원에 자전거를 타러 갈까

　나: 미안해. 오후에 약속이 있어

5) 가: 회사 생활은 어때

　나: 처음에는 힘들었지만 지금은 익숙해졌어

6) 가: 어디에서 한국어를 공부해

　나: 나는 세종학당에서 한국어를 공부하고 있어

7) 가: 유진아, 몇 시에 도착해

　나: 미안해. 차가 막혀서 7시쯤 도착할 것 같아

문법2　1번　68쪽

2) 가: 사진 좀 찍어 주시겠어요?

　나: 여기(에는 /에서는) 사진을 찍으면 안 돼요.

3) 가: 여기에서 음식을 먹어도 돼요?

　나: 아니요. 여기(에는 /에서는) 음식을 먹을 수 없어요.

4) 가: 밖에 사람이 많네요. 안(에는/ 에서는) 어때요?

　나: 안(에는/ 에서는) 사람이 별로 없어요.

5) 가: 월요일에도 아르바이트가 있어요?

　나: 아니요. 월요일(에는/ 에서는) 아르바이트가 없어요.

문법2　2번　68쪽

1) 께서만

2) 께서도

3) 에서부터

4) 에만

듣고 말하기　1번　69쪽

1) ②

2) ①

3) ① 과제가 많아서

　② 익숙해졌어

　③ 일이 많아서

⑤ 익숙해질 거야

듣고 말하기　2번　69쪽

1) 한국에 가 본 적 있어?

2) 주말에 영화 보러 갈까?

3) 요즘 대학 생활은 어때?

4) 여기에서 음료수를 마셔도 돼?

읽기　1번　70쪽

1) ④

2) ②

3) ① ✕

　② ○

쓰기　1번　71쪽

1) 같이 공부할 수 있어서

2) 부산 여행을 하려고 해

3) 언제 시간이 돼

4) 여행 동아리에서 사귄

쓰기　2번　71쪽

마리에게

마리, 안녕?

지금까지 너랑 같이 세종학당에 다닐 수 있어서 정말 좋았어.

나는 이번 방학에 서울 여행을 하려고 해.

너랑 같이 여행을 하고 싶은데 넌 어때? 시간이 괜찮을 것 같아?

여행을 하면 맛집도 알려 주고 싶어. 그 식당은 내가 가장 좋아하는

식당인데 같이 가면 좋을 것 같아.

그럼 답장 기다릴게.

— 안나가.

12 🖉　난 너처럼 카페를 하고 싶어

어휘와 표현　1번　72쪽

1) 취직할 거예요.

2) 혼자 세계 여행을 하고

3) 카페를 열었어요

4) 외국어를 잘하고 싶어요

어휘와 표현　2번　72쪽

1) 가게를 열어서

2) 대학원에 진학할 거예요

3) 인터넷 소설을 쓰기

4) 취미를 만들었어요

문법 1　1번　73쪽

1) 아이는 인형처럼 귀여워요

2) 친구는 천사처럼 착해요

3) 이번 겨울은 봄처럼 따뜻해요

4) 아버지 마음은 바다처럼 넓어요

문법 1　2번　73쪽

2) 요리사처럼

3) 우리 선생님처럼

4) 우리 엄마처럼

5) 지금처럼

문법 2　1번　74쪽

2) 수영을 잘하게 되었어요

3) 한국 요리를 잘하게 되었어요

4) 운전을 잘하게 되었어요

5) 결혼을 하게 되었어요

문법 2　2번　74쪽

2) 배우게 되었어요

3) 꽃집을 하게 되었어요

4) 보게 돼요

5) 오게 돼요

듣고 말하기　1번　75쪽

1) 너처럼, 한국에 가고 싶어

2) 축구를 좋아해서, 가고 싶어

3) 하고 싶은, 있어

4) 좋아하는, 있어

5) 왜

6) 가게 될 거야

듣고 말하기　2번　75쪽

3)	1)	2)	5)	4)	6)

듣고 말하기　3번　75쪽

① ✕

② ○

듣고 말하기　4번　75쪽

다음 방학에는 한국에 가고 싶어.

1) 난 너처럼 카페를 하고 싶어.

2) 박물관에서 도장을 만들어 봤어요.

3) 여기에서 노트북을 사용해도 돼요?

4) 청바지에다가 티셔츠를 입으려고 해요.

읽기　1번　76쪽

1) 10대로 돌아가면 무엇을 하고 싶어요?

2) ③

3) ① ○

　② ✕

쓰기　1번　77쪽

1) 더 빨리 한국어를 잘하게 될 것 같습니다

2) 여행을 가고 싶습니다

3) 다른 나라 문화를 이해할 수 있습니다

4) 언니와 친구처럼 지냅니다

쓰기　2번　77쪽

　저는 10대로 돌아가면 다음과 같은 일을 꼭 하고 싶습니다.

　첫째, 외국어를 배우고 싶습니다. 10대에 외국어를 배우면 지금보다 더 빨리 잘하게 될 것 같습니다.

　둘째, 가족과 여행을 꼭 가고 싶습니다. 가족과 같이 여행을 가면 이야기도 많이 하고 좋은 추억을 만들 수 있을 것 같습니다.

　셋째, 10대로 돌아가면 아버지와 더 친하게 지내고 싶습니다. 아버지는 늘 저와 친구처럼 지내고 싶어 하셨는데 저는 말을 많이 하지 않았습니다. 그런데 지금도 늦지 않았습니다. 지금부터 외국어를 더 열심히 공부하고, 가족과 여행 가고, 아버지와 친구처럼 지내려고 합니다.

자료
출처

2B

※ 이 교재는 산돌폰트 외 Ryu 고운한글돋움OTF, Ryu 고운한글바탕 OTF 등을 사용하여 제작되었습니다. Ryu 고운한글돋움OTF, Ryu 고운한글바탕OTF 서체는 서체 디자이너 류양희 님에게서 제공 받았습니다.

※ 강승희, 곽명주, 박가을, 이재영, 정원교 작가와 함께 작업했습니다.

| 셔터스톡 |
스피커 아이콘
말풍선
연필 아이콘
1과 6쪽_1번 4)우/5); 10쪽; 11쪽   2과 12쪽_2번 2)/3)/4); 16쪽; 17쪽_2번   3과 18쪽; 22쪽; 23쪽   4과 24쪽; 25쪽_1번 (보기)/1)/2)   5과 30쪽_1번 2), 2번 5); 31쪽_1번 1)/2); 32쪽_1번 1)/3); 33쪽_1번 2)④; 34쪽_1번 (보기)/2)③   6과 36쪽; 38쪽; 40쪽   8과 52쪽_1번 (보기)   9과 56쪽   10과 60쪽_1번 1)/2); 61쪽_2번 (보기)/1)/2)/3)   11과 70쪽   12과 72쪽_1번 (보기)/2)/3)/4)   부록 79쪽; 98쪽; 99쪽

메모

ㄱㄴㄷ

세종한국어 | 익힘책 2B

기획	국립국어원	박미영 학예연구사
	국립국어원	조 은 학예연구사
집필	책임 집필	이정희 경희대학교 국제교육원 교수
	공동 집필	이수미 성균관대학교 학부대학 대우교수
		한윤정 경희대학교 K-컬처·스토리콘텐츠연구소 연구교수
		신범숙 서울대학교 언어교육원 대우전임강사
		민유미 서울대학교 언어교육원 대우전임강사
	집필 보조	김연희 경희대학교 국어국문학과 박사수료
		홍세화 경희대학교 국어국문학과 박사과정
		정성호 경희대학교 국어국문학과 박사수료
		서유리 경희대학교 국어국문학과 박사과정

발행 국립국어원

주소: (07511) 서울특별시 강서구 금낭화로 154

전화: +82(0)2-2669-9775

전송: +82(0)2-2669-9727

누리집: www.korean.go.kr

초판 1쇄 발행   2022년 9월 1일

초판 4쇄 발행   2024년 10월 1일

편집·제작 공앤박 주식회사

주소: (05116) 서울특별시 광진구 광나루로56길 85, 프라임센터 3411호

전화: +82(0)2-565-1531

전송: +82(0)2-6499-1801

누리집: www.kongnpark.com / www.BooksOnKorea.com (구매)

총괄	공경용
편집	이유진, 김세훈, 이진덕, 여인영, 김령희, 성수정, 최은정, 함소연
영문 편집	Sung A. Jung, Paulina Zolta, Kassandra Lefrancois-Brossard
디자인	오진경, 서은아, 이종우, 이승희
삽화	강승희, 곽명주, 박가을, 이재영, 정원교
관리·제작	공일석, 최진호
IT 자료	손대철
마케팅	윤성호

ISBN 978-89-97134-33-5 (14710)

ISBN 978-89-97134-21-2 (세트)